Le séducteur impénitent

JOHANNA LINDSEY

Le vent sauvage	*J'ai lu* 2241/**3**
Un si cher ennemi	*J'ai lu* 2382/**3**
Samantha	*J'ai lu* 2533/**3**
Esclave et châtelaine	*J'ai lu* 2925/**5**
La révoltée du harem	*J'ai lu* 2956/**6**
La fiancée captive	*J'ai lu* 3035/**5**
Les feux du désir	*J'ai lu* 3091/**5**
La Viking insoumise	*J'ai lu* 3115/**5**
Un si doux orage	*J'ai lu* 3200/**4**
Un cœur si sauvage	*J'ai lu* 3258/**4**
Épouse ou maîtresse	*J'ai lu* 3304/**3**
Captifs du désir	*J'ai lu* 3430/**4**
Une fiancée pour enjeu	*J'ai lu* 3593/**5**
Paria de l'amour	*J'ai lu* 3725/**4**
Passagère clandestine	*J'ai lu* 3778/**5**
Le séducteur impénitent	*J'ai lu* 3888/**4**

Johanna Lindsey

Le séducteur impénitent

Traduit de l'américain
par Paul Benita

Éditions J'ai lu

Titre original :

LOVE ONLY ONCE
Avon Books

1

1817, Londres

Les doigts sur la carafe de cognac étaient longs et délicats. Selena Eddington était fière de ses mains. Elle les montrait dès que l'occasion s'en présentait, comme en ce moment. Elle apporta la carafe à Nicholas Eden au lieu de lui prendre son verre. Cela lui permettait aussi de se tenir debout devant l'homme vautré dans le sofa de peluche bleue. Avec le feu de la cheminée derrière elle, sa silhouette devait merveilleusement se deviner sous sa fine robe de mousseline.

Un gros rubis brilla à sa main gauche tandis qu'elle versait l'alcool. Sa bague de mariage. Veuve depuis deux ans, elle la portait encore avec fierté. D'autres rubis ornaient son cou, comme pour mieux souligner la profondeur extravagante de son décolleté.

– Est-ce que tu m'écoutes, Nicky ?

Ces derniers temps, il arborait de plus en plus souvent cet air pensif qu'elle trouvait profondément irritant. Il n'avait pas entendu un mot de ce qu'elle avait dit. Il ne lui avait même pas accordé un regard quand elle lui avait servi son cognac.

– Honnêtement, Nicky, ton indifférence à mon égard est presque insultante.

Elle resta debout devant lui jusqu'à ce qu'il se décidât enfin à lever les yeux vers elle.

– Pardon, ma chère ?

Une étincelle passa dans les yeux azur de Selena. Elle faillit s'emporter, donner libre cours à son mauvais caractère. Non, elle devait se contrôler. Mais il était vraiment impossible ! Si seulement il n'était pas aussi séduisant...

Ravalant sa colère, elle dit d'un ton égal :

– Le bal, Nicky. Cela fait dix minutes que je t'en parle mais tu ne m'écoutes pas. Si tu veux, je peux changer de sujet. A la seule condition que tu promettes de venir me chercher tôt demain soir.

– Quel bal ?

Selena sursauta. Il ne faisait pas semblant. Il ne jouait pas les blasés. Ce goujat n'avait vraiment aucune idée de ce dont elle parlait.

– Ne te moque pas de moi, Nicky. Le bal des Shepford. Tu sais à quel point c'est important pour moi.

– Ah oui ! Le bal de l'année. Le point d'orgue de la saison. Et elle ne fait que commencer.

Elle feignit de ne pas remarquer son ton méprisant.

– Tu sais depuis combien de temps j'espérais une invitation de la duchesse de Shepford. Ce bal risque d'être le plus grandiose depuis des années. Tous ceux qui comptent seront là.

– Et alors ?

Selena compta lentement jusqu'à cinq.

– Alors j'en mourrais si j'arrivais en retard d'une seconde.

Les lèvres de Nicholas esquissèrent ce sourire moqueur qu'elle connaissait bien.

– Tu meurs beaucoup trop souvent, ma chère. Tu prends tout ça trop au sérieux.

– Je devrais être comme toi, sans doute ?

Ces mots avaient à peine franchi ses lèvres qu'elle les regrettait déjà. Elle était au bord de l'explosion mais faire une scène maintenant serait un désastre. Nicholas ne supportait pas les reproches... même s'il n'avait aucun scrupule à étaler son fichu caractère devant tout le monde.

Il se contenta de hausser les épaules.

– Je suis ce qu'on pourrait appeler un excentrique, ma chère. Quelqu'un qui se fiche pas mal de ce que peuvent raconter les autres.

Comme c'était vrai ! Il ignorait ou insultait qui bon lui semblait. Il fréquentait même des individus tenus à l'écart de la bonne société. Et il ne flattait jamais personne. Son arrogance était hallucinante mais il pouvait aussi se montrer incroyablement charmeur... quand il le désirait.

Miraculeusement, Selena parvint à garder son sang-froid.

– Quoi qu'il en soit, Nicky, tu as promis de m'accompagner au bal des Shepford.

– J'ai fait ça ?

– Oui. Et tu vas me promettre de ne pas être en retard demain, n'est-ce pas ?

Il haussa à nouveau les épaules.

– Comment pourrais-je te faire une telle promesse, ma chère ? Je ne prévois pas l'avenir. Qui sait ce qui se passera d'ici demain.

Elle faillit hurler. Rien ne pouvait le retarder en

dehors de son odieuse indifférence et ils le savaient tous les deux. Elle n'allait pas le supporter !

Selena prit une rapide décision.

– Très bien, Nicky, fit-elle nonchalamment. C'est trop important pour moi. J'espère que tu te montreras à ce bal mais, puisque je ne peux compter sur toi, je me trouverai un autre cavalier.

Ce jeu-là, elle pouvait le jouer aussi.

– Si tard ?

– Tu m'en crois incapable, peut-être ?

Il sourit, la détaillant d'un air appréciateur.

– Absolument pas. Je suis certain que tu n'auras aucun mal à me trouver un remplaçant.

Elle lui tourna le dos pour cacher à quel point cette remarque la blessait. Etait-ce un avertissement ? Oh, comme il était sûr de lui ! Il aurait mérité qu'elle rompît. Jamais aucune de ses maîtresses n'avait osé le faire. C'était toujours lui qui les quittait. Lui qui choisissait son heure. Comment réagirait-il si elle le laissait tomber ? Piquerait-il une crise de rage ? Chercherait-il à la récupérer ?

Nicholas Eden s'étira paresseusement sur le sofa tout en observant la jeune femme qui prenait son verre et s'allongeait sur l'épais tapis devant la cheminée, les yeux perdus dans les flammes orangées. Il eut un sourire sardonique. Une chose pouvait pencher en faveur de Selena : elle savait toujours se mettre en valeur...

Ils se trouvaient chez une amie de celle-ci, Marie. Le dîner avec leur hôtesse et son amant du moment avait été élégant. Ils avaient joué au whist pendant une heure avant de se retirer dans ce confortable salon. Puis Marie et son ardent gentleman avaient rejoint une chambre à coucher en haut.

Combien d'autres soirées identiques avaient-ils déjà passées ainsi ? Seule différence : l'amant de la comtesse n'était jamais le même. Celle-ci aimait vivre dangereusement dès que son mari quittait la ville.

Ce soir, pourtant, il y avait une autre différence. La pièce était toujours aussi romantique avec le feu de cheminée, et Selena plus séduisante que jamais. Mais aujourd'hui, Nicholas s'ennuyait. C'était aussi simple que cela. Il n'avait aucune envie de la rejoindre sur le tapis.

Il se rendait compte depuis un moment déjà qu'il perdait tout intérêt pour elle. Le fait qu'il n'avait pas particulièrement envie de coucher avec elle ce soir confirmait cette impression. Il était temps de mettre un terme à cette liaison. Elle avait déjà duré une éternité : près de trois mois. Voilà peut-être pourquoi il se sentait prêt à rompre alors qu'il n'avait encore trouvé personne pour la remplacer.

Personne ne l'intéressait pour l'instant, à l'exception de quelques belles épouses amoureuses de leur mari, et donc insensibles à son charme. Oh, son terrain de chasse ne se limitait pas à des dames fatiguées de leur train-train quotidien. Il n'avait aucun scrupule à s'attaquer à de jeunes personnes qui entamaient leur première ou leur deuxième saison dans le monde. Si ces innocentes demoiselles étaient prêtes à succomber, elles avaient tout à craindre de Nicholas. Ces romances étaient les plus brèves mais sans aucun doute les plus excitantes.

Mais nul ne pouvait empêcher les commérages et Nicholas avait toujours été une cible privilégiée pour les mauvaises langues. Cependant, même les pères les plus irascibles ne tenaient pas à l'affronter en duel. Il en avait déjà gagné deux contre des époux jaloux.

Il n'éprouvait aucune fierté à déflorer des innocentes ou à blesser des malheureux dont la seule faute consistait à avoir épousé des femmes trop frivoles. Mais il ne se sentait aucunement coupable. Si des débutantes étaient assez téméraires pour se donner à lui sans promesse de mariage, pourquoi ne pas en profiter ? Quant aux épouses de ces aristocrates, elles savaient exactement ce qu'elles faisaient.

On disait de Nicholas qu'il se souciait peu des dégâts qu'il provoquait autour de lui. C'était peut-être vrai, peut-être pas. Personne ne le connaissait assez bien pour en être certain. Même lui n'était sûr de rien.

En tout cas, sa réputation lui coûtait cher. Les pères possédant un titre supérieur au sien refusaient de l'envisager comme gendre. Seuls ceux qui cherchaient un riche mari pour leur fille gardaient le nom de Nicholas sur leur liste de fréquentations.

Mais il ne voulait pas se marier. Ni maintenant ni jamais. Nul ne savait pourquoi le vicomte de Montieth s'était ainsi résigné au célibat. Ce qui expliquait pourquoi tant de femmes espéraient encore le faire changer d'avis.

Lady Selena Eddington était l'une d'entre elles. Elle faisait tout pour ne pas le montrer mais il savait qu'elle en avait après son titre. Mariée une première fois à un baron, elle visait plus haut désormais. Elle était d'une beauté saisissante, avec ses courts cheveux noirs encadrant son visage ovale de boucles délicates. Sa peau dorée soulignait l'éclat de ses yeux bleus. Vingt-quatre ans, amusante, séduisante... Ce n'était certainement pas sa faute si le désir de Nicholas à son égard s'était singulièrement refroidi ces derniers temps.

Aucune femme n'avait pu l'enflammer bien longtemps. Et toutes ses rencontres se terminaient ainsi. La seule chose qui le surprenait, c'était son envie que cela finît aussi vite, avant même qu'il eût envisagé une nouvelle conquête. Cette rupture allait le forcer à fréquenter les cercles mondains pendant un temps et il détestait cela.

Il ne romprait pas avec Selena ce soir, décida-t-il, car elle était déjà furieuse contre lui et risquait de lui faire une scène. Lui-même s'emportait facilement. Non, il le lui annoncerait demain au bal. Elle n'oserait pas laisser éclater sa colère en public.

Selena leva son verre en cristal devant le feu. Les yeux de Nicholas avaient exactement la même couleur ambrée que le cognac... quand il était de bonne humeur ou bien quand il était en colère. Dans son état normal, ils prenaient une nuance plus sombre, d'un brun rouge, comme du cuivre fraîchement poli. Ces yeux déroutants étaient rehaussés par sa peau mate et ses cils incroyablement longs. Ses cheveux châtains étaient parsemés de mèches plus claires. Epais et sauvages, ils prenaient des reflets mordorés sous certaines lumières.

Il était si beau que certaines femmes défaillaient en le voyant pour la première fois. Selena avait souvent assisté à ce phénomène. Les jeunes filles se mettaient à bafouiller en sa présence. D'autres plus âgées lui lançaient des œillades appuyées. Pas étonnant qu'il fût si difficile à manœuvrer ; les femmes les plus séduisantes se jetaient à son cou depuis son plus jeune âge. Et son visage n'était pas seul en cause. Pourquoi n'était-il pas petit, ou même rondouillard ? N'importe quoi pour briser ce charme dévastateur. Mais non, il portait avec une aisance incroyable les pantalons serrés à la mode. Sa veste n'avait aucun besoin de rembourrage aux épaules. Son corps était superbe : musclé mais mince, grand mais gracieux. Le corps d'un véritable athlète.

Il n'était pas seulement l'homme le plus séduisant que Selena eût jamais rencontré, mais aussi le quatrième vicomte de Montieth. Sa fortune était considérable. Il semblait fait pour commander et il en était conscient, avec une arrogance qui frisait l'insupportable.

Elle devait absolument agir, car il devenait de plus en plus évident qu'elle était en train de le perdre. Que faire pour ranimer sa flamme ? Monter nue à cheval dans Hyde Park ? Participer à une de ces messes noires dont cn murmurait qu'elles se terminaient en orgies ? Se montrer encore plus dépravée ? Elle pouvait aussi faire une apparition chez Whites ou chez Brooks... voilà qui le choquerait. En aucune circonstance, les femmes n'étaient admises dans ces établissements. Ou, mieux encore... seigneur, oui, le quitter pour un autre ! Sa fierté ne le supporterait pas. Cela réveillerait sa jalousie et il exigerait sur-le-champ de l'épouser !

Rien qu'à y penser, Selena en était tout excitée. Ça marcherait. Il le fallait. De toute manière, elle n'avait pas le choix : elle devait essayer. Elle n'avait rien à perdre, tout à gagner.

Elle roula sur elle-même pour lui faire face. Il était allongé sur le sofa, avec ses bottes, les mains jointes derrière la nuque. Ma parole, il dormait ! Jamais un homme ne s'était endormi en sa présence. Comment osait-il l'insulter ainsi ? Oui, il était temps de prendre des mesures.

– Nicholas ?

– Oui ?

Ouf, il ne dormait pas.

– Nicholas, j'ai beaucoup réfléchi à notre relation.

– Vraiment, Selena ?

Son ton ennuyé la fit tressaillir.

– Oui, poursuivit-elle bravement. Et je suis arrivée à une conclusion. En raison de ton manque de... chaleur... je crois qu'un autre saura mieux m'apprécier.

– Aucun doute là-dessus.

Elle fronça les sourcils. Il prenait cela horriblement bien.

– Eh bien, j'ai reçu plusieurs propositions ces derniers temps et j'ai décidé... (Elle fit une pause avant de commettre l'irréparable mensonge et ferma les yeux.) J'ai décidé d'en accepter une.

Elle attendit un bon moment avant de rouvrir les paupières. Nicholas n'avait pas bougé d'un pouce. Une bonne minute s'écoula avant qu'il daignât enfin le faire. Il se redressa lentement et ses yeux se posèrent sur elle. Selena retint son souffle. Son expression était absolument indéchiffrable.

Il ramassa son verre vide et le leva vers elle.

– Vraiment, ma chère ?

– Oui, vraiment.

Elle bondit pour le servir sans songer à quel point elle lui obéissait servilement.

– Qui est l'heureux élu ?

Selena sursauta, renversant du cognac sur la table.

– Il aimerait que notre relation reste discrète, tu comprends ?

– Il est marié ?

Elle lui tendit son verre qu'elle avait rempli à ras bord.

– Non. En fait, j'ai toutes les raisons de croire que cette relation est promise à un grand avenir. Comme je l'ai dit, il veut simplement de la discrétion... pour l'instant.

Elle n'aurait pas dû se lancer dans de si longues explications, pensa-t-elle soudain. Nicholas et elle s'étaient aussi montrés discrets, ne faisant jamais l'amour chez elle ou chez lui, à Park Lane, à cause des domestiques. Pourtant, tout le monde savait qu'elle était sa maîtresse. Toute créature de sexe féminin aperçue trois fois d'affilée avec Nicholas Eden était immédiatement cataloguée.

– Ne me demande pas de le trahir, Nicky, reprit-elle avec un petit sourire. Tu sauras bien assez tôt de qui il s'agit.

– Dans ce cas, pourquoi ne pas me dire son nom maintenant ?

Savait-il qu'elle mentait ? Oui. Elle le sentait.

– Tu es odieux, Nicholas. En quoi son identité te concerne-t-elle ? Car vois-tu, j'ai remarqué chez toi un certain manque d'ardeur ces derniers temps. Que puis-je donc en déduire, sinon que tu ne veux plus de moi ?

Elle lui tendait la perche. Il ne la saisit pas.

– Alors c'est à cause de ça ? fit-il brutalement. A cause de ce maudit bal ? C'est ça ?

– Bien sûr que non ! s'indigna-t-elle.

– Non ? Si tu crois pouvoir me forcer à t'accompagner à cette soirée demain soir avec ce conte à dormir debout, tu te mets le doigt dans l'œil, ma chère.

Son arrogance ne connaissait donc aucune limite ! Quel mépris ! Il n'arrivait tout simplement pas à croire qu'elle lui préférât quelqu'un d'autre.

Les sourcils de Nicholas se haussèrent de surprise et Selena se rendit compte avec horreur qu'elle venait d'exprimer ses pensées à haute voix. Mais cela n'ébranla pas sa résolution.

– Eh bien, c'est vrai, ajouta-t-elle, téméraire.

Furieuse, elle se mit à faire les cent pas devant la cheminée. Il ne méritait pas d'être aimé.

– Je suis désolée, Nicky, dit-elle au bout d'un moment sans oser le regarder. Je ne veux pas que notre relation se termine mal. Tu as vraiment été merveilleux... la plupart du temps. Oh, chéri, c'est toi l'expert pour ce genre de choses. Est-ce ainsi qu'on fait ?

Nicholas faillit éclater de rire.

– Tu te débrouilles pas mal pour une débutante, ma chère.

– Tant mieux, fit-elle d'un ton plus gai en risquant un regard vers lui.

Il souriait.

– Ne me croyez pas si ça vous chante, Lord Montieth, mais on verra ce qu'on verra. Ne soyez pas trop surpris quand vous me croiserez au bras d'un autre gentleman.

Elle s'absorba dans la contemplation des flammes, et quand elle se retourna à nouveau il était parti.

2

La demeure des Malory sur Grosvenor Square était tout illuminée et la plupart de ses occupants se préparaient dans leur chambre pour le bal du duc et de la duchesse de Shepford. Les domestiques débordés couraient d'un bout à l'autre de la maison.

Lord Marshall voulait qu'on amidonnât sa cravate. Lady Clare désirait un petit en-cas : trop nerveuse, elle n'avait rien avalé de la journée. Lady Diana avait, elle, besoin d'un calmant : c'était sa première saison, son premier bal, et elle n'avait rien mangé depuis deux jours. Lord Travis ne trouvait plus sa chemise. Lady Amy voulait simplement qu'on lui remontât le moral. Elle seule était trop jeune pour assister à la fête. Quelle horreur d'avoir quinze ans !

La seule qui ne semblait nullement affectée par ce bal était Lady Regina Ashton, la nièce de Lord Edward Malory. Bien sûr, elle avait sa propre soubrette pour l'aider au besoin mais ce n'était apparemment pas le cas, car on ne les avait vues ni l'une ni l'autre depuis une bonne heure.

La maison bourdonnait d'activité depuis le

début de la journée. Lord et Lady Malory avaient entamé leurs préparatifs bien plus tôt, ayant été invités au dîner offert à quelques rares privilégiés avant le bal. Ils étaient partis depuis un bon moment déjà. Les deux fils Malory se voyaient donc confier la tâche d'escorter leurs sœurs et leur cousine. Une responsabilité majeure pour deux jeunes gens dont l'un était frais émoulu de l'université et l'autre encore étudiant.

Cette perspective n'avait guère emballé Marshall Malory jusqu'à ce que, à sa grande surprise, une certaine lady de ses amies lui demandât de se joindre à eux. Enfin, la chance lui souriait.

Depuis leur première rencontre, l'année passée, il en était éperdument amoureux. Elle ne lui avait alors pas prodigué le moindre encouragement. Mais à présent qu'il en avait fini avec ses études, il était un homme. Hé ! s'il le désirait, il pouvait décider de s'installer et demander à cette dame de l'épouser. Oh, quel bonheur d'avoir atteint sa majorité !

Les pensées de Lady Clare tournaient aussi autour de son âge. Elle avait vingt ans et cela l'accablait. Sa troisième saison commençait et elle devait encore se dénicher un fiancé ! Il y avait bien eu quelques offres, mais rien d'intéressant. Pourtant elle était assez jolie, avec un joli teint, une jolie peau. Tout était joli en elle, et c'était là le problème. Elle était simplement... mignonne. Elle n'avait rien de la beauté de sa cousine Regina et, en sa présence, on avait tendance à ne plus la voir. Pire encore, elle allait devoir partager une deuxième saison avec Regina.

Clara fulminait. Sa cousine, pourtant plus jeune qu'elle, aurait dû être casée depuis longtemps. Elle avait reçu des douzaines de demandes. Mais un problème surgissait toujours au dernier moment et ces opportunités n'avaient jamais abouti. Même un tour d'Europe l'an dernier s'était révélé inutile.

Cette année, Clare devrait aussi compter avec une nouvelle concurrente : sa jeune sœur Diana. N'ayant pas encore dix-huit ans, elle aurait dû normalement attendre un an. Malheureusement, leurs parents avaient décidé que Diana était en âge de sortir dans le monde. On lui avait toutefois formellement interdit de songer à un quelconque jeune homme. Elle était trop jeune pour se marier... mais elle avait le droit de sortir !

Bientôt, leurs parents autoriseraient Amy à quitter l'école – à seize ans ! songea Clare de plus en plus agacée. Ah non, alors ! L'an prochain, si elle n'avait pas trouvé d'époux, elle se retrouverait avec Diana et Amy sur les bras. Et Amy était aussi ravissante que Regina. Non, il lui fallait se dénicher un mari cette année coûte que coûte.

Clare était loin de s'en douter mais ces mêmes pensées agitaient sa belle cousine. Regina Ashton fixait son reflet dans le miroir tandis que Meg relevait ses cheveux noirs. Pourtant, elle ne voyait pas le bleu cobalt de ses yeux, ni les lèvres pleines ou la peau trop blanche qui formait un contraste saisissant avec sa chevelure et ses longs cils d'ébène. Elle voyait des hommes, des régiments d'hommes, des légions d'hommes – Français, Suisses, Autrichiens, Italiens, Anglais – et se demandait pourquoi elle n'était pas encore mariée. Ce n'était certainement pas faute d'avoir essayé...

Reggie, comme on l'appelait toujours, avait eu un choix si vaste que cela en devenait embarrassant. Elle en avait connu une bonne douzaine au moins avec qui elle était sûre de vivre heureuse, deux autres douzaines dont elle avait cru tomber amoureuse et encore des tas d'autres qui ne convenaient pas pour une raison ou pour une autre. Quant à ceux qu'elle considérait comme acceptables, ses oncles les refusaient chaque fois.

Oh, quelle poisse de posséder quatre oncles qui l'aimaient tendrement ! Et quel bonheur en même temps ! Jason, à présent âgé de quarante-cinq ans, était à la tête de la famille depuis ses seize ans, responsable de ses trois frères et de sa sœur unique, la mère de Reggie. Jason avait pris son rôle au sérieux... trop parfois. C'était un homme terriblement sérieux.

Edward était son parfait contraire : d'un caractère facile, gai, accommodant, indulgent. D'un an le cadet de Jason, il avait épousé tante Charlotte à vingt-deux ans bien avant le mariage de Jason. Il avait cinq enfants – trois filles et deux garçons.

La mère de Reggie, Melissa, était plus jeune de sept ans que ses aînés. Puis, deux ans plus tard était arrivé James.

James était le mouton noir de la famille, celui qui avait tout laissé tomber pour vivre à sa guise. Il avait trente-cinq ans à présent et on ne devait plus mentionner son nom. Pour Jason et Edward, James n'existait plus. Mais Reggie l'aimait quand même, malgré tous ses horribles péchés. Il lui manquait terriblement car elle ne le rencontrait qu'en cachette. Au cours des neuf dernières années, elle ne l'avait vu que six fois. Leur dernière rencontre remontait à plus de deux ans.

Anthony, pour dire la vérité, était son oncle préféré. Il était le seul en dehors de Reggie, de sa mère et d'Amy à avoir hérité les yeux cobalt et la noire chevelure de l'arrière-grand-mère de Reggie, dont on murmurait qu'elle était gitane. Bien évidemment, personne dans la famille n'admettait un fait aussi scandaleux. Comme Reggie, Anthony était d'une nature insouciante.

Anthony, trente-quatre ans et cadet de la famille, était comme un grand frère pour elle. Il était aussi, à la grande joie de Reggie, le plus fameux noceur de Londres depuis le départ de son frère James. Mais alors que James, à l'instar de Jason, pouvait se montrer dur, Anthony tenait plus d'Edward : gai, doté d'un solide sens de l'humour et charmeur impénitent. Il se fichait complètement du qu'en-dira-t-on et était prêt à tout pour aider ceux qu'il aimait.

Reggie sourit. Avec toutes ses maîtresses et autres petites amies, tous les scandales qui fleurissaient autour de lui, les duels qu'il avait provoqués, les paris fous qu'il avait lancés, Anthony était vis-à-vis d'elle le plus culotté des hypocrites. Si jamais un de ses compagnons de débauche ne lançait qu'une simple œillade à Reggie, il se voyait aussitôt convoqué sur un ring de boxe ! Même les plus audacieux se tenaient à carreau quand elle se trouvait avec son oncle, se contentant d'un bavardage inoffensif et rien d'autre. Quant à Jason, si jamais il apprenait un jour qu'elle avait rencontré certains amis de Tony, des têtes tomberaient : celle de Tony pour commencer. Mais Jason n'en savait rien et si Edward concevait quelques soupçons, il n'était pas aussi strict que son frère aîné.

Ses quatre oncles la considéraient plus comme leur fille que comme leur nièce car, à tour de rôle, ils avaient veillé sur elle depuis la mort de ses parents alors que Reggie n'avait que deux ans. Ils s'étaient partagé la petite orpheline jusqu'à ses six ans. A l'époque, Edward vivait à Londres, ainsi que James et Anthony. Une grosse dispute avait éclaté quand Jason avait insisté pour la garder à la campagne. Finalement, ils avaient établi un compromis : elle vivrait six mois sur douze chez Edward et pourrait ainsi rencontrer ses deux autres oncles.

Quand elle eut onze ans, Anthony exigea qu'elle passât autant de temps avec lui qu'avec ses deux frères. On lui accorda les mois d'été, les mois de vacances et d'amusement. Il était à chaque fois heureux de transformer sa demeure de célibataire pour elle. Mais depuis qu'elle sortait dans le monde, il n'était plus convenable qu'elle restât autant de temps avec lui ; elle ne le voyait donc plus qu'irrégulièrement. Bah, se dit-elle, elle serait bientôt mariée. Ce n'était pas qu'elle en mourût d'envie – en fait, elle aurait préféré continuer à profiter de la vie quelques années encore – mais ses oncles ne l'entendaient pas de cette oreille. Ils avaient décidé qu'elle avait envie de fonder une famille. N'était-ce pas là l'unique désir de toute jeune fille ? Ils s'étaient réunis pour en discuter et, malgré ses protestations, leurs bonnes intentions avaient triomphé de ses réticences.

Dès lors, parce qu'elle les aimait, elle avait fait de son mieux pour les satisfaire. Elle avait ramené un prétendant après l'autre mais, à chaque fois, un de ses oncles – jamais le même – lui avait trouvé un défaut rédhibitoire. Elle avait même poursuivi sa quête à travers l'Europe. Elle n'en pouvait plus de considérer les hommes qu'elle rencontrait d'un œil critique. Elle ne parvenait plus à s'amuser. Chacun devait être soigneusement disséqué, analysé... Etait-il apte à faire un bon mari ? Avait-elle enfin trouvé la perle rare qui plairait à tous ses oncles ?

Elle commençait à croire qu'un tel parangon n'existait pas. Il était temps pour elle de mettre un terme à cette recherche, ou elle allait devenir folle. Elle devait voir oncle Tony, le seul qui la comprendrait, qui intercéderait en sa faveur auprès de Jason. Mais Tony se trouvait chez un ami à la campagne quand elle était revenue à Londres, et il n'était rentré que la veille.

Elle s'était déjà rendue chez lui à deux reprises aujourd'hui, mais à chaque fois il était sorti. Elle avait dû se contenter de lui laisser un billet. Il l'avait sûrement lu à présent. Pourquoi ne venait-il pas ?

Au moment où elle se posait cette question, elle entendit un attelage s'arrêter devant la maison. Elle éclata de rire, un rire musical et joyeux.

– Enfin !

– Quoi ? s'étonna Meg. J'ai pas encore fini. C'est drôlement pas facile de remonter tous ces cheveux en chignon. Tu ferais mieux de les couper. Ça nous ferait gagner du temps, à toi et à moi.

Reggie bondit sur ses pieds tandis que quelques épingles tombaient à terre.

– Peu importe, Meg. Oncle Tony est ici.

– Hé ! où tu vas comme ça ? s'indigna Meg.

Mais Reggie l'ignora et se rua hors de la pièce tandis que Meg mugissait :

– Regina Ashton !

Elle courut jusqu'à l'escalier menant au hall avant de prendre conscience de sa tenue sommaire. Elle se cacha derrière une colonne, bien décidée à ne pas partir tant qu'elle n'entendrait pas la voix de son oncle. Mais ce fut une voix de femme qui s'éleva. Hésitante, elle risqua un coup d'œil et eut la déception de voir une lady s'adresser au maître d'hôtel. Elle la reconnut vaguement pour l'avoir rencontrée dans Hyde Park quelques jours plus tôt mais sans se rappeler son nom. Zut ! Où diable était Tony ?

A cet instant, Meg l'empoigna par le bras pour la traîner dans sa chambre. Meg prenait des libertés, bien sûr, mais ce n'était guère étonnant puisqu'elle veillait sur Reggie depuis aussi longtemps que Tess, sa nourrice, c'est-à-dire depuis toujours.

– C'est un scandale ! Je n'ai jamais rien vu d'aussi choquant ! Sortir dans le couloir en sous-vêtements ! Vraiment ! gronda-t-elle en réinstallant Reggie de force devant sa coiffeuse. Nous t'avons mieux éduquée que cela !

– Je croyais que c'était oncle Tony.

– C'est pas une excuse.

– Je sais, mais il faut que je le voie ce soir. Tu le sais bien, Meg. C'est le seul qui puisse m'aider. Il écrira à oncle Jason et je pourrai enfin me détendre un peu.

– Et à ton avis, comment pourra-t-il convaincre le marquis ?

Reggie sourit.

– Je vais leur suggérer de se charger de me trouver un mari.

Meg secoua la tête en soupirant.

– Tu n'aimeras pas l'homme qu'ils te choisiront, ma fille.

– Peut-être. Mais maintenant ça m'est tout simplement égal. Bien sûr, ce serait tellement mieux si je pouvais faire mon choix moi-même, mais j'ai compris que mon opinion ne compte pas à leurs yeux. Ça fait un an que je fais tout ce que je peux : je suis allée à tellement de soirées, de bals, de réceptions que j'en suis dégoûtée. Je ne me serais jamais crue capable de dire une chose pareille. J'ai attendu mon premier bal comme le Messie.

– Je te comprends, petite, mais...

– Tout ce que je demande c'est qu'oncle Tony me comprenne lui aussi. Je veux simplement me retirer à la campagne et vivre à nouveau tranquillement... avec ou sans mari. Si je pouvais dénicher le bonhomme ce soir, je l'épouserais dès demain... je n'en peux plus de ces mondanités. Mais je suis sûre que cela n'arrivera pas. Alors, que mes oncles se débrouillent ! Les connaissant, ça va leur prendre des années. Ils ne sont jamais d'accord sur rien, tu le sais. Et pendant ce temps-là, je resterai chez nous, à Haverston.

– Je ne vois pas ce que fera ton oncle que tu ne puisses faire toi-même. Tu n'as pas peur du marquis. Tu sais le mener par le bout du nez quand tu en as envie. Dis-lui simplement à quel point tu es malheureuse et il...

– Je ne peux pas faire ça ! s'exclama Reggie. Je ne pourrais jamais laisser croire à oncle Jason qu'il me rend malheureuse. Il ne se le pardonnerait pas !

– Tu es trop gentille, ma fille, grommela Meg. Alors tu préfères continuer à être triste, hein ?

– Non. Tu vois, c'est pour ça que je tiens à ce que Tony écrive à oncle Jason d'abord. Si je m'en charge et qu'il insiste encore pour que je reste ici, je n'aurai plus aucune chance. Par contre, si la lettre de Tony ne le fait pas changer d'avis, je saurai qu'il faudra essayer autre chose et j'aurai encore une chance.

– Tu retrouveras peut-être Lord Anthony au bal ce soir.

– Non. Il déteste les bals. Il préférerait mourir plutôt que d'aller à un bal, même pour moi. Oh, zut ! Il va falloir que j'attende jusqu'à demain matin.

Meg fronça les sourcils et détourna les yeux.

– Qu'y a-t-il ? interrogea aussitôt Reggie. Que sais-tu que j'ignore ?

Meg haussa les épaules.

– C'est juste que... Lord Anthony risque de ne plus être là demain matin et de rester absent trois ou quatre jours.

– Qui a dit qu'il partait ?

– J'ai entendu Lord Edward dire à sa femme que le marquis l'avait fait demander. Je crois qu'il s'est encore fourré dans un de ces pétrins dont il a le secret.

– Oh non ! Il n'est pas déjà parti, quand même ?

Meg sourit.

– Non. Ce vaurien n'est pas pressé d'affronter son frère aîné. A coup sûr, il repoussera son départ aussi longtemps qu'il le pourra.

– Alors, il faut que je le voie ce soir. C'est parfait. Il aura plus de chances de convaincre Jason en lui parlant qu'en lui écrivant.

– Mais tu ne peux pas aller chez Lord Anthony ce soir, protesta Meg. C'est presque l'heure de partir pour le bal.

– Donne-moi ma robe tout de suite. Tony habite tout près d'ici. Je peux prendre la voiture et être de retour avant que les autres soient prêts.

Les « autres » étaient en fait déjà prêts depuis un bon moment et l'attendaient au salon. Contrariée mais nullement découragée, elle prit son cousin le plus âgé à l'écart.

– Marshall, je regrette vraiment de devoir te demander cela mais je dois emprunter la voiture quelques minutes avant que nous partions.

– Quoi ?

Elle avait chuchoté mais son exclamation attira tous les regards vers eux. Elle soupira.

– Honnêtement, Marshall, je ne te demande pas la lune.

Marshall, conscient d'être devenu la cible de toutes les attentions, rassembla sa dignité pour déclarer de son ton le plus raisonnable :

– Cela fait déjà dix bonnes minutes que nous t'attendons, et cela ne te suffit pas ?

Trois soupirs outragés retentirent mais Reggie évita de regarder ses cousines.

– C'est très important, Marshall. Cela ne me prendra pas plus d'une demi-heure... en tout cas, sûrement pas plus d'une heure. Je dois voir oncle Anthony.

Diana, qui n'avait pas pour habitude d'élever la voix, réagit la première :

– Non, non, et non ! Comment peux-tu être aussi insouciante, Reggie ? Cela ne te ressemble pas. Tu vas tous nous mettre en retard ! Nous devrions déjà être partis.

– Pffui, répliqua Reggie. Vous ne voulez pas être là-bas les premières, si ?

– Nous ne voulons pas non plus arriver les dernières, intervint Clare. Le bal commence dans une demi-heure et c'est juste le temps qu'il nous faut pour y aller. Pourquoi est-ce donc si important que tu voies oncle Anthony ?

– C'est personnel. Et ça ne peut attendre. Il part

pour Haverston demain à la première heure. Si je n'y vais pas tout de suite, je n'aurai plus l'occasion de lui parler.

– Jusqu'à son retour, corrigea Clare. Ça ne peut pas attendre jusque-là ?

– Non.

Voyant ses cousines dressées contre elle et cette Lady Machin-Chose qui venait d'arriver tout aussi agitée, Reggie tenta autre chose :

– Bon, très bien. Je prendrai un fiacre, Marshall, si tu peux envoyer un des valets en chercher un pour moi. Je vous rejoindrai au bal dès que possible.

– Pas question.

Marshall était ennuyé. Cela ressemblait bien à sa cousine, de l'entraîner dans des histoires abracadabrantes. Mais, bon sang, pas cette fois-ci ! Il était l'aîné, il n'allait pas se laisser emberlificoter.

– Louer une voiture ? reprit-il. De nuit ? C'est trop risqué et tu le sais, Reggie.

– Travis peut m'accompagner.

– Mais Travis n'en a aucune envie, répliqua l'intéressé. Et ne me lance pas ton grand regard de bébé, Reggie. Je suis bien décidé à arriver à l'heure au bal.

– S'il te plaît, Travis...

– Non.

Reggie contempla tous ces visages fermés. Elle ne renoncerait pas.

– Alors je n'irai pas au bal. Je n'avais d'ailleurs aucune envie d'y aller.

Marshall secoua la tête.

– Oh non ! Je te connais trop bien. A peine serons-nous partis que tu te glisseras dehors pour aller à pied chez oncle Anthony. Père me tuerait.

– Je ne suis pas aussi idiote, Marshall, rétorqua-t-elle sèchement. Je vais lui envoyer un autre message et attendre qu'il vienne.

– Et s'il ne vient pas ? Il a peut-être mieux à faire que de courir ici dès que tu le siffles. Si ça se trouve, il n'est même pas chez lui. Non. Tu viens avec nous. Point final.

– Non.

– Si !

– Elle peut utiliser ma voiture. (Tous les yeux se tournèrent vers leur invitée.) Mon cocher et mon laquais sont à mon service depuis des années. On peut leur faire confiance. Avec eux, elle ne risque rien. Ils l'accompagneront ensuite au bal.

Reggie eut un sourire éblouissant.

– Merveilleux ! Vous me sauvez la vie, Lady... ?

– Eddington. Nous nous sommes rencontrées cette semaine.

– Oui, dans le parc. Je m'en souviens. Mais pardonnez-moi, je n'ai aucune mémoire des noms. Je ne saurai jamais assez vous remercier.

– N'y pensez plus. Je suis ravie de vous rendre service.

Et Selena était réellement ravie. Bon sang, ils allaient enfin pouvoir partir ! Cela avait déjà été assez pénible de se rabattre sur Marshall Malory mais, de la douzaine d'hommes qu'elle avait contactée ce matin, il avait été le seul à ne pas lui faire faux bond. Malory, plus jeune qu'elle, était son dernier recours. Et voilà qu'elle se retrouvait au beau milieu d'une querelle familiale, tout ça à cause de cette jeune chipie.

– Tu vois, Marshall, triompha Maggie, tu n'as plus aucune raison de refuser maintenant.

– Non, je suppose que non, admit-il, grognon. Mais n'oublie pas : tu as dit une demi-heure, cousine. Tu ferais bien d'arriver chez les Shepford avant que père ne remarque ton absence. Sinon, la punition sera terrible...

3

– Mais je suis sérieuse, Tony ! s'exclama Reggie. Comment peux-tu en douter ? C'est une urgence.

Il était le seul de ses oncles qui exigeait qu'elle l'appelât uniquement par son prénom.

Elle avait dû attendre vingt bonnes minutes pour qu'il émergeât de son sommeil car il avait passé la journée au club à boire et à jouer. Il n'était rentré que pour dormir. Dix autres minutes avaient été perdues à essayer de lui faire admettre qu'elle était sincère. Sa demi-heure était déjà pratiquement écoulée. Marshall allait la tuer...

– Allons, mon chou. Au bout d'une semaine à la campagne, tu regretteras notre bon vieux Londres et ses distractions. Si tu as besoin de repos, tu n'as qu'à raconter à Eddie que tu es malade ou quelque chose comme ça. Quelques jours dans ta chambre, et tu me remercieras de ne pas t'avoir prise au sérieux.

– Je n'ai rien fait d'autre que sortir depuis plus d'un an, poursuivit-elle avec détermination. Au cours de mon voyage en Europe, je n'ai pas visité les pays mais les soirées et les bals. Ce n'est pas que j'en aie assez de m'amuser, Tony. Crois-moi, cela, je pourrais très bien le supporter. Je ne tiens même pas à passer toute la saison à Haverston, mais seulement quelques semaines. Pour récupérer. C'est cette chasse au mari qui est en train de m'achever. Je te le jure.

– Personne n'a dit que tu devais épouser le premier homme que tu rencontres, mon chou.

– Le premier ? Il y en a eu des centaines, Tony. Tu sais qu'on me surnomme le « glaçon » ?

– Bon sang, qui ose... ?

– Ça me va comme un gant. J'ai été froide et coupante avec tous les hommes que j'ai rencontrés. Il le fallait ; pour ne pas donner de fausses espérances à ces malheureux.

– Mais de quoi est-ce que tu parles ?

– J'ai loué les services de Sir John Dodsley bien avant la fin de la saison.

– Ce vieux fouineur ? Et pourquoi donc ?

– Pour, disons, me servir de conseiller. Ce vieux fouineur, comme tu l'appelles, connaît tout le monde. Il sait tout ce qu'il y a à savoir sur chacun. Après que mon sixième prétendant sérieux a échoué à l'examen de passage devant tes frères et toi, je me suis dit qu'il me fallait changer de tactique. J'ai payé Dodsley pour qu'il prenne les choses en main. Il a dressé une liste de ce que tes frères et toi pourriez désapprouver chez un homme. Et à chaque nouvelle rencontre, il me faisait comprendre que celui-là non plus ne conviendrait pas. Cela m'a fait gagner du temps et m'a épargné quelques déceptions, mais cela m'a aussi valu mon surnom. C'est impossible, Tony. Si Jason est satisfait, alors c'est toi qui ne l'es pas, et si toi tu l'es... alors, il y a Edward. Dieu merci, oncle James n'est pas là pour ajouter son grain de sel.

L'homme qui vous plairait à tous les trois n'existe pas... pas sur cette terre.

– C'est absurde, protesta-t-il. Je connais une bonne douzaine de célibataires qui conviendraient.

– Tu en es sûr, Tony ? demanda-t-elle doucement. Tu voudrais vraiment que j'épouse l'un d'entre eux ?

Il prit un visage grave avant de sourire brusquement.

– Non, je suppose que non.

– Alors tu comprends enfin mon problème ?

– Mais ne veux-tu pas te marier, mon chou ?

– Bien sûr que je le veux. Et je suis certaine que l'homme que tes frères et toi me trouverez conviendra parfaitement et me rendra très heureuse.

Il la fixa, éberlué.

– Quoi ? Ah non, pas question. Tu ne vas pas me mettre cette responsabilité sur le dos, Reggie.

– Comme tu veux. Laissons-la à oncle Jason.

– Ne sois pas ridicule. Il va te faire épouser un tyran comme lui.

– Allons, Tony, tu sais que ce n'est pas vrai.

Elle souriait.

– Mmouais... grommela-t-il.

– Tu comprends, au moins je n'aurai plus à faire passer d'examen à chaque homme que je rencontre. Je veux m'amuser à nouveau, être capable de parler à un homme sans l'analyser, danser sans me demander si mon cavalier ferait un époux convenable. C'en est au point qu'à chaque fois que je regarde un garçon, je me demande : Celui-là, dois-je l'épouser ? Pourrai-je l'aimer ? Sera-t-il aussi gentil et bon avec moi que...

Elle s'arrêta, rougissante.

– Que ?

– Oh, à quoi bon te le cacher, soupira-t-elle ; je les compare tous à toi ou à mes autres oncles. Je ne peux m'en empêcher. Parfois, je souhaiterais même que vous ne m'aimiez pas autant. Vous m'avez trop gâtée. Je voudrais que mon mari soit un mélange de vous tous.

– Ah ? s'exclama-t-il, théâtral. Que t'avons-nous fait ?

Il semblait sur le point d'éclater de rire et elle en perdit son sang-froid.

– Tu trouves ça drôle, hein ? On voit bien que ce n'est pas à toi que ça arrive. Je te jure que si vous ne m'accordez pas le répit dont j'ai besoin, je me débrouillerai pour entrer en contact avec oncle James et je lui demanderai de m'emmener avec lui.

Il se calma aussitôt. Même s'il était le plus proche de James, il ne pouvait lui pardonner sa conduite.

– Ne parle pas comme cela, Reggie. Tu ne sais pas ce que tu dis. Mêler James à cette histoire ne ferait qu'empirer les choses.

Elle poussa son avantage :

– Diras-tu à oncle Jason que je veux passer quelque temps à la maison ? Que j'en ai assez de chercher un mari et que j'attendrai que vous trois daigniez vous mettre d'accord sur un nom ?

– Je n'aime pas ça, Reggie, et Jason ne l'aimera pas davantage. C'est à toi de faire ton choix, de trouver quelqu'un qui te convienne.

– J'ai essayé.

Un silence gêné s'installa.

Anthony grimaça.

– Lord Medhurst était un crétin pompeux !

– Comment aurais-je pu le savoir ? A mes yeux, il semblait parfait.

– Tu aurais pu avoir Newel si Eddie ne s'y était farouchement opposé.

L'humeur de Tony ne s'améliorait pas.

– Oui... eh bien, oncle Eddie avait sûrement raison.

– En tout cas, une chose est certaine, mon chou : tu sais t'y prendre pour déprimer quelqu'un. Nous n'avons en tête que ton bonheur, tu le sais bien.

– Je le sais, et c'est pour cela que je vous aime. Je sais aussi que j'adorerai celui que vous estimerez digne d'être mon mari.

Il sourit.

– Vraiment ? Je n'en suis pas si sûr. Si Jason accepte ton marché, il y a de fortes chances pour qu'il refuse que tu épouses quelqu'un qui me ressemble de près ou de loin.

Il plaisantait. S'il y en avait un qui refuserait un débauché comme lui, ce serait bien ce cher Anthony. Elle éclata de rire.

– Eh bien, comme cela, tu pourras toujours débaucher mon époux, Tony... après le mariage.

4

Percival Alden poussa un hurlement de triomphe en tirant sur les rênes de sa monture au bout de Green Park, du côté de Piccadilly.

– Tu me dois vingt livres, Nick ! lança-t-il pardessus son épaule tandis que le vicomte le rejoignait au galop sur son cheval bai.

Nicholas Eden lui lança un regard noir.

Les deux amis venaient de sortir de chez Boodles après une superbe partie de cartes quand Percy avait fait allusion à son nouvel étalon noir. Nicholas était juste assez ivre pour relever le défi.

– On a failli se casser le cou dix fois, sacré nom ! marmonna Nicholas avec un reste de bon sens. A l'avenir, rappelle-moi d'éviter ce genre de passetemps.

Percy trouva cette remarque terriblement drôle et rit si fort qu'il faillit en perdre l'équilibre.

– Comme si quelqu'un pouvait t'empêcher de n'en faire qu'à ta tête, surtout quand tu as bu ! Mais peu importe. Tu ne te souviendras probablement plus de cette petite escapade demain matin. Ah, fichtre, où donc était cette lune quand on en avait besoin ?

Nicholas leva les yeux. Le disque d'argent venait d'émerger derrière un nuage. La tête lui tournait. Bon sang ! Cette course aurait dû le dégriser un peu.

Il contempla son ami.

– Combien veux-tu pour cette bête, Percy ?

– Elle n'est pas à vendre. Je peux encore gagner pas mal de courses avec.

– Combien ? s'obstina Nicholas.

– Je l'ai payée deux cent cinquante mais...

– Trois cents.

– Il n'est pas à vendre.

– Quatre cents.

– Oh voyons, Nick...

– Cinq cents.

– Il sera chez toi demain matin à la première heure.

Nicholas sourit, satisfait. Percy ne semblait pas morose non plus.

– J'aurais dû tenir bon jusqu'à mille livres, fit-il. Mais bon, je sais où trouver son frère pour deux cent cinquante. Et je ne voudrais pas abuser de ta générosité.

Nicholas éclata de rire.

– Tu gâches ton talent, Percy. Tu devrais vendre des chevaux au marché de Smithfield.

– Et donner à ma chère mère une autre raison de maudire le jour où elle m'a donné la vie ? Non, merci. Je préfère continuer ainsi et tirer de maigres profits d'amis tels que toi. Et puis, c'est beaucoup plus drôle. Oh, à propos, n'étais-tu pas censé faire une apparition au bal des Shepford ?

– Sacré nom ! grogna Nicholas, perdant sa bonne humeur, pourquoi faut-il que tu me le rappelles ?

– Ma bonne action de la journée.

– Si j'y vais, c'est uniquement pour remettre ma délicieuse fiancée à sa place.

– Oh-oh, elle t'a joué un mauvais tour ?

– Tu ne vas pas le croire. Elle a essayé de me rendre jaloux, confia Nicholas, outré.

– Toi ? Jaloux ? pouffa Percy. J'aimerais bien voir ça.

– Si tu en as envie, je t'invite à venir assister à mon numéro. J'ai l'intention d'en faire un excellent pour être quitte avec cette chère Lady Eddington, expliqua Nicholas d'un air de mauvais augure.

– Tu ne vas pas provoquer le pauvre type, quand même ?

– Seigneur, pour une femme ? Bien sûr que non. Mais c'est ce qu'elle croira. Tandis que je serai dehors à donner ma bénédiction à ce malheureux. Après cela, elle n'aura plus qu'à ruminer ses regrets, car elle ne me verra plus.

– Voilà une manière originale de rompre, remarqua Percy. Il faudra que je l'essaie un jour. Ecoute, pourquoi ne pas m'offrir ta bénédiction ? Lady Eddington est très appétissante.

Percy jeta un regard de l'autre côté de la rue.

– Tiens, regarde... ne serait-ce pas sa voiture là-bas ?

Nicholas suivit la direction de son regard pour découvrir un petit cabriolet outrageusement peint en vert et rose.

– Impossible, marmonna-t-il. Elle préférerait mourir plutôt que d'être en retard à ce bal, et il a déjà commencé depuis un bon moment.

– Je ne connais personne d'autre qui possède un attelage aussi joliment décoré, nota Percy. J'envisageais même d'en faire autant avec le mien.

Nicholas lui lança un regard horrifié avant de contempler à nouveau la rue.

– Tu sais qui habite ici ?

– Non, je ne vois pas... commença Percy. Attends un peu ! Je crois que c'est la maison du plus jeune frère Malory... Oh, comment s'appelle-t-il ? Tu sais. Pas le fou qui a disparu depuis des années mais l'autre... Celui qui est si bon tireur que personne ne se risquerait à... Ah, ça y est ! Anthony ! Lord Anthony. Dieu du ciel ! Ne me dis pas qu'elle l'a choisi pour te rendre jaloux ? Même toi, tu n'oserais pas t'y frotter, Nicholas.

Ce dernier ne répondit pas. Lentement, très lentement, il quitta le parc et traversa la rue. S'il s'agissait bien de Selena, elle s'était postée exactement là où elle savait qu'il la verrait car il passait ici tous les soirs en rentrant de son club. Sa curiosité était éveillée. Selena attendait-elle dans le cabriolet, guettant son passage ? Avait-elle été incapable de se trouver un cavalier pour l'accompagner au bal ? Et comptait-elle encore le traîner là-bas ? Il était fort peu probable qu'elle connût Anthony Malory. Lui et ses semblables évoluaient dans un autre monde, dédaignant la bonne société. La réputation de Nicholas n'était pas sans tache mais ce n'était rien en comparaison de ces libertins.

Et si, d'une manière ou d'une autre, elle avait rencontré Malory ? Non, elle ne s'attarderait pas ici ce soir : le bal des Shepford était trop important pour elle. Elle ne parlait que de cela depuis un mois.

Pourtant sa voiture était bien là, devant chez Malory... Nicholas s'arrêta. Percy le rejoignit, l'air alarmé.

– Tu n'envisages pas de faire une folie, n'est-ce pas ?

Nicholas souriait.

– Si c'est bien Lady Eddington qui se trouve là, elle va sortir d'un moment à l'autre.

– Comment le sais-tu ?

– Le bal. A la rigueur elle acceptera d'y aller en retard, mais pour rien au monde elle ne voudrait le manquer. Et pourtant, c'est ce qui va lui arriver. Oui, c'est exactement ce qui va lui arriver, et ça lui fera les pieds. Ce bal est si important à ses yeux qu'elle en oublie tout le reste... même les hommes qu'elle fréquente. Je crois que la leçon lui sera profitable, tu ne penses pas ? Oui, très profitable.

– Montieth ! s'inquiéta Percy. Au nom du ciel, qu'as-tu manigancé ?

Nicholas ne répondit pas, car à cet instant la porte donnant sur la rue s'ouvrit. Son sourire s'élargit quand Selena Eddington franchit le seuil. Elle portait un petit domino noir sur les yeux et une longue cape mais il aurait reconnu cette chevelure noire n'importe où. Son long manteau à col de fourrure rejeté sur ses épaules révélait une très jolie robe rose, ce qui le surprit. Du rose ? Cela ne lui ressemblait pas. Elle l'appelait avec mépris la couleur de l'innocence, une qualité qu'elle avait perdue depuis fort longtemps sans le moindre regret. Bah, elle avait sans doute en tête d'impressionner la duchesse de Shepford.

Elle se tourna vers l'homme debout derrière elle et Nicholas reconnut sans peine Anthony Malory. Il l'avait souvent croisé dans des clubs, même s'ils ne s'étaient jamais adressé la parole. Selena devait le trouver séduisant... Eh bien, il lui souhaitait bonne chance. Malory était un célibataire encore plus endurci que lui-même. Elle n'arriverait jamais à le traîner devant l'autel. S'en rendait-elle compte ?

Amusé, il la vit enlacer Malory et lui donner un rapide baiser. A l'évidence, il ne l'accompagnait pas au bal : il était en robe de chambre.

– Eh bien, qu'en dis-tu ? demanda Percy, mal à l'aise. C'est bien elle, n'est-ce pas ?

– Oui, et son cabriolet nous fait face. Tant mieux, cela va me faciliter les choses. Rends-moi service et empêche-les de faire demi-tour aussi longtemps que tu le pourras.

– Sacrebleu, qu'as-tu en tête ?

– C'est simple : ramener cette chère Selena chez moi. Je couperai à travers Mayfair pour rejoindre Park Lane. Retrouve-moi là-bas.

– Que le diable t'emporte, Nick ! s'exclama Percy, Malory est devant sa porte.

– Oui, mais il ne va pas me poursuivre à pied, n'est-ce pas ? Et il n'a pas d'arme sous la main. En fait, il risque d'apprécier le spectacle.

– Ne fais pas ça, Nick...

Mais Nicholas n'était pas assez sobre pour entendre raison. Il lança sa monture vers le cabriolet, lui faisant prendre de la vitesse petit à petit. Il surprit tout le monde, se glissant entre la voiture et la maison. Ralentissant à peine, il saisit Selena par la taille et la jeta en travers de la selle.

Bien joué, se félicita-t-il. Même à jeun, il n'aurait pas mieux fait. Des cris retentirent derrière lui mais il ne ralentit pas. La femme commença à hurler mais il lui enfourna promptement son mouchoir de soie blanche dans la bouche et utilisa sa cravate pour lui lier les poignets.

Elle gigotait tellement qu'elle risquait de tomber, aussi il la força à se redresser et à s'asseoir devant lui, puis recouvrit ses épaules et sa tête de sa cape. Hé, hé, la voilà proprement ficelée, pensa-t-il avec satisfaction.

Il ne tarda pas à arriver dans Park Lane.

– Il semble bien que personne ne nous suit, mon chou. Ton cocher, Tovey, m'a sans doute reconnu et doit s'imaginer que tu ne cours aucun risque.

Il ricana en entendant ses gémissements étouffés par la cape.

– Ah, je t'ai vexée, Selena. Bah, console-toi en te disant que tu pourras piquer une magnifique crise de rage quand je te libérerai... demain matin.

Elle recommença à se débattre mais, quelques instants plus tard, ils arrivaient chez lui. Percival Alden les y attendait déjà et fut le seul à voir Nicholas jeter son fardeau sur ses épaules et le porter à l'intérieur. Son maître d'hôtel essaya de ne pas paraître trop surpris.

Percy lui avait emboîté le pas.

– Ils n'ont même pas essayé de vous suivre.

– Cela signifie que le cocher m'a reconnu, déclara Nicholas. Il a sûrement déjà expliqué à Malory que la dame et moi nous connaissons très bien.

– Je n'arrive pas encore à croire que tu aies fait une chose pareille, Nick. Elle ne te le pardonnera jamais.

– Je sais. Maintenant, sois gentil : monte avec moi pour allumer quelques lampes avant que je dépose mon bagage. (Il s'interrompit juste le temps de sourire à son maître d'hôtel qui semblait fasciné par les pieds qui s'agitaient sous la cape.) Faites préparer mon habit de soirée, Tyndale. Je veux être reparti dans dix minutes. Si quelqu'un passe ici, pour une raison ou pour une autre, dites que je suis parti au bal des Shepford il y a plus d'une heure.

– Très bien, milord.

– Tu vas quand même y aller ? interrogea Percy avec stupéfaction tandis qu'ils s'engageaient dans l'escalier.

– Mais bien sûr, répondit Nicholas. J'ai l'intention de danser toute la nuit.

Il s'arrêta devant une chambre à coucher donnant sur le jardin au troisième étage. Il l'inspecta de façon à s'assurer qu'elle ne contenait aucun objet de valeur : dans sa colère, Selena allait sûrement tout casser. Satisfait, il demanda la clé à Tyndale puis fit signe à Percy d'allumer la lampe près de la cheminée.

– Sois gentille, mon chou. Evite de faire un esclandre. (Il la gratifia d'une tape familière sur le postérieur.) Si tu commences à hurler ou à te conduire d'une façon idiote, Tyndale se verra dans l'obligation de te calmer. Je suis certain que tu n'as pas envie de passer les prochaines heures ligotée sur ce lit.

Il la laissa tomber sur le lit en question avant de relâcher quelque peu les liens qui lui entravaient les poignets. Puis, précédé par Percy, il sortit et verrouilla la porte. Elle ne tarderait pas à se débarrasser de son bâillon mais il ne serait plus là pour l'entendre.

– Accompagne-moi, Percy. Je peux te prêter une tenue de soirée si tu as envie d'assister à ce bal.

Son ami, un peu perdu, secoua la tête tout en suivant Nicholas au deuxième étage où se trouvait sa chambre.

– Je ne comprends pas pourquoi tu tiens à aller à ce bal maintenant, puisqu'elle n'y sera pas.

– C'est la touche finale, répliqua Nicholas en ricanant. A quoi cela servirait-il qu'elle manque ce bal si, demain, ses chères amies ne lui disaient pas que j'y ai dansé toute la nuit ?

– C'est cruel, Montieth.

– Pas plus cruel que de me laisser tomber pour Malory.

– Mais ça t'est complètement égal ! s'exclama Percy, exaspéré.

– C'est juste. Mais cela ne veut pas dire qu'elle ne mérite pas qu'on lui rende la monnaie de sa pièce. Après tout, elle serait excessivement déçue si je ne réagissais pas d'une manière ou d'une autre.

– Elle aurait sans doute préféré que tu réagisses autrement.

– Oh, la barbe ! Il vaut mieux ça que d'aller provoquer Malory en duel. Tu ne crois pas ?

Percy en resta abasourdi.

– Seigneur, oui ! Tu n'aurais aucune chance contre lui.

– Tu crois ? murmura Nicholas. C'est possible. Après tout, il a plus d'entraînement que moi. Mais on n'en saura jamais rien, n'est-ce pas ?

5

Reggie n'avait pas peur. Elle en avait assez entendu pour savoir que son ravisseur était un aristocrate. Il pensait avoir été reconnu par le cocher, ce qui signifiait qu'il ne lui ferait aucun mal. Non, elle ne risquait pas grand-chose.

Une autre chose l'amusait prodigieusement. L'homme avait commis une terrible méprise. Il l'avait prise pour quelqu'un d'autre. Il l'avait appelée... Selena. « Ce n'est que moi », avait-il dit au début, comme si elle pouvait reconnaître facilement sa voix.

Selena ? Pourquoi Selena ? Il l'avait simplement ramassée sur le trottoir, alors pourquoi... « Le cocher m'a reconnu... » Seigneur, Lady Eddington ! Il connaissait son cabriolet : voilà pourquoi il l'avait prise pour Lady Eddington.

C'était impayable. Il arriverait au bal des Shepford pour... tomber sur celle qu'il croyait avoir enlevée. Comme elle aurait aimé être là pour voir sa tête ! C'était exactement le genre de farce qu'elle adorait faire quand elle était plus jeune.

Il allait revenir chez lui en quatrième vitesse, des excuses plein la bouche, la suppliant de lui pardonner et surtout de ne rien dire. Reggie serait forcée de lui obéir car sa réputation était en jeu. Elle irait au bal et dirait simplement qu'elle s'était attardée davantage que prévu chez oncle Anthony. Personne n'apprendrait cette histoire abracadabrante.

S'étant débarrassée de son bâillon et de ses liens, elle s'étira avec volupté sur le lit. Ce n'était pas sa première aventure, loin de là. Dès l'âge de sept ans, le destin l'avait gâtée. Cela avait commencé quand elle était tombée à travers la mare glacée à Haverston. Elle se serait noyée si un garçon d'écurie n'avait entendu ses cris et ne l'avait sauvée. L'année suivante, le même garçon avait distrait l'attention d'un sanglier qui l'avait pourchassée jusque sous un arbre. Le malheureux avait été blessé mais avait rapidement guéri, heureux de raconter son geste héroïque à ses amis. Quant à Reggie, on lui avait interdit de se promener en forêt pendant une année entière.

Non, même le soin religieux que ses oncles mettaient à l'éduquer ne parvenait pas à combattre la fatalité, et Reggie avait connu plus d'aventures en dix-neuf ans que la plupart des hommes au cours d'une vie entière. Détaillant son élégante et temporaire prison, elle sourit. Nombre de jeunes femmes rêvaient de se faire enlever par un séduisant inconnu à cheval, et ce soir, elle le vivait pour la seconde fois...

Deux années auparavant, alors qu'elle avait dix-sept ans, elle avait été attaquée sur la route de Bath par trois bandits de grands chemins. Le plus téméraire l'avait enlevée. Dieu merci, son cousin Derek s'était trouvé dans la diligence ce jour-là et, enfourchant un des chevaux de l'attelage, s'était lancé à leur poursuite. Il avait sauvé Reggie du triste sort que lui réservait la canaille.

Et avant cela, à douze ans, il y avait eu ses aventures en haute mer. Elle avait été kidnappée tout un été, endurant de terrifiantes tempêtes et même une incroyable bataille.

Eh bien, voilà que le destin s'acharnait à nouveau sur elle, mais d'une façon nettement plus drôle et moins dangereuse. Soudain, elle se redressa brutalement. Oncle Tony ! Il savait tout ! L'affaire lui parut subitement beaucoup moins drôle. S'il découvrait l'identité de son ravisseur, il ne tarderait pas à venir enfoncer sa porte. Il n'y aurait plus aucun moyen d'arrêter les commérages et la réputation de Reggie serait ruinée. Anthony Malory irait jusqu'au bout. Il provoquerait le pauvre diable en duel et le tuerait, méprise ou pas.

Reggie se leva et se mit à arpenter la pièce, pieds nus. Ô Seigneur, cette ridicule mésaventure prenait des allures sinistres. Pour se distraire, elle examina la pièce. Elle était décorée dans les tons verts et marron et il y avait quelques-uns de ces meubles modernes : des Chippendale. Sa cape et son loup gisaient sur un fauteuil, ses ballerines sur le sol. Une fenêtre donnait sur un jardin noyé d'ombre. Elle se recoiffa devant un miroir dont le cadre en bronze était orné de feuilles et de fleurs sculptées.

Elle se demanda si Tyndale viendrait réellement l'attacher si elle se mettait à crier. Mieux valait l'éviter. Elle se demanda également ce qui retenait aussi longtemps son ravisseur. Il avait dû à présent se rendre compte de son erreur. Les minutes s'égrenaient lentement sur l'horloge de la cheminée...

Nicholas les regarda valser avec horreur. Le dandy portait un costume de satin vert qui jurait terriblement avec la robe prune de Selena. Avec ces couleurs, on ne risquait pas de les manquer, même parmi cette foule.

– Bon sang ! gronda-t-il.

Percy, debout à ses côtés, fut plus loquace :

– Tu vois ce que tu as fait ? Je savais que tu courais à la catastrophe. Et voilà le résultat.

– La ferme, Percy.

– Mais nom de nom, c'est elle, n'est-ce pas ? Alors qui est l'oiseau que tu as encagé chez toi ? Tu as enlevé la maîtresse de Malory ! Il va te tuer, Nick. Il va te tuer, et plutôt deux fois qu'une.

Nicholas avait, quant à lui, envie de tuer son impressionnable ami.

– Tu veux bien te calmer un peu ? Tout ce que je risque, c'est de récolter un flot d'insultes de la part d'une femme que je ne connais pas. Lord Malory ne s'offusquera pas pour une erreur aussi ridicule. Après tout, aucun mal n'a été fait.

– Et la réputation de cette dame, Nick ? Si jamais on apprend...

– Comment l'apprendrait-on ? Réfléchis un peu. Si elle est la maîtresse de Malory, c'est qu'elle n'a plus la moindre réputation à défendre. Ce que j'aimerais savoir, par contre, c'est ce qu'elle fichait avec le cabriolet de Selena. (Il soupira.) Bon, je crois qu'il vaut mieux que je rentre au plus vite et que je la libère... qui qu'elle soit.

Percy ricana.

– Tu as besoin d'aide ? Je suis assez curieux de la rencontrer.

– Ça m'étonnerait qu'elle soit d'humeur à faire

des mondanités, tu sais. J'aurai de la chance si elle se contente de me lancer un vase à la tête.

– Dans ce cas, tu te débrouilleras très bien sans moi, merci. J'attendrai demain que tu me racontes tout.

– Je te reconnais bien là, conclut sèchement Nicholas.

Il revint chez lui aussi vite qu'il le put. Il était parfaitement dégrisé à présent, et regrettait amèrement toute cette soirée. Il priait le Ciel pour que la mystérieuse lady possédât le sens de l'humour.

Tyndale l'accueillit et lui prit son manteau, son chapeau et ses gants.

– Des problèmes ? interrogea le vicomte en songeant que la liste devait être longue.

– Pas un seul, milord.

Surpris, Nicholas dévisagea son serviteur.

– Pas de bruit ?

– Aucun.

Nicholas prit une profonde inspiration. Elle ménageait sûrement sa fureur pour se déchaîner contre lui.

– Faites préparer la voiture, Tyndale, ordonna-t-il en s'engageant dans l'escalier.

Le troisième étage était aussi silencieux qu'une tombe. Les serviteurs n'avaient aucune raison de venir dans cette partie de la maison durant la nuit. Lucy, la jolie soubrette, ne se risquait pas ici sans y être appelée et son valet, Harris, devait dormir en dessous, attendant son maître bien plus tard. Seul Tyndale connaissait la présence de la dame. C'était un soulagement.

Nicholas s'arrêta un bref instant devant la porte... puis se décida. Il entra d'un pas vif. Il s'attendait à recevoir un projectile quelconque mais il éprouva un choc bien plus violent en l'apercevant pour la première fois.

Elle se tenait à la fenêtre, l'observant d'une façon étonnamment directe. Il n'y avait aucune timidité dans son regard ni aucune peur dans son délicieux visage en forme de cœur. Les yeux étaient troublants, légèrement bridés, d'un bleu sombre et translucide comme du cristal coloré. Un épais rideau de cils incroyablement longs soulignait ces yeux extraordinaires, tandis que les sourcils noirs s'arrondissaient légèrement au-dessus. Ses cheveux étaient du même noir de jais et de minuscules torsades encadraient son visage, donnant à sa peau des reflets d'ivoire.

Elle était saisissante. Sa beauté ne s'arrêtait pas à son visage. Certes elle était petite, mais ses formes n'avaient rien d'enfantin. De jeunes seins fermes se pressaient contre la mousseline de sa robe rose. Le décolleté n'était pas aussi profond que celui de certaines élégantes. Sa tenue n'avait rien de provocant... et pourtant elle était terriblement excitante. Il avait une furieuse envie d'arracher le fin tissu rose pour dévoiler cette poitrine. Nicholas éprouva alors un nouveau choc en se rendant compte de son état. Seigneur, il n'avait pas perdu le contrôle de lui-même de cette façon depuis l'adolescence !

Luttant pour retrouver son sang-froid, il chercha quelque chose à dire. N'importe quoi...

– Bonjour.

Reggie perçut la question implicite derrière ce salut : « Mais à qui ai-je affaire ? » et ne put s'empêcher de sourire. Il était superbe, tout simplement superbe. Et ce n'était pas seulement ses traits, même si ceux-ci étaient parfaits. Il possédait un magnétisme dévastateur. Il était même plus beau garçon qu'oncle Anthony, qu'elle avait toujours considéré comme l'homme le plus séduisant de la terre.

La comparaison était rassurante. Il lui rappelait oncle Tony non seulement par sa taille et son apparence, mais aussi par la façon dont il l'examinait. Il esquissa une moue d'approbation. Combien de fois avait-elle vu son oncle étudier des femmes de cette manière ! Bon, c'est un débauché, se dit-elle. Qui d'autre oserait enlever sa maîtresse sur le seuil de la maison d'un concurrent ? Etait-ce par jalousie ? Avait-il cru que sa maîtresse et oncle Tony étaient... Oh, la situation devenait très amusante.

– Bonjour à vous, répliqua-t-elle, espiègle. Vous avez enfin réalisé votre erreur ? Il vous en a fallu, du temps !

– Je suis en train de me demander si j'ai vraiment commis une erreur. Vous n'avez franchement pas l'air d'une erreur. Pour une fois, j'ai l'impression d'avoir agi pour le mieux.

Il referma tranquillement la porte et s'adossa au battant, ses beaux yeux d'ambre la détaillant sans la moindre gêne des pieds à la tête. Rester seule avec un homme de cette trempe pouvait se révéler très risqué pour une jeune lady, Reggie s'en rendait parfaitement compte. Pourtant, pour une raison inconnue, elle n'avait pas peur de lui. Elle osa même se demander si ce serait une chose si terrible si elle perdait sa vertu avec lui. Oh-oh, elle était soudain d'une humeur bien audacieuse !

Elle regarda la porte fermée et sa haute silhouette bloquant l'unique issue.

– Honte à vous, monsieur. J'espère que vous n'avez pas en tête de me compromettre davantage.

– Je le ferais si vous ne me le permettiez. Le voulez-vous ? Réfléchissez soigneusement avant de répondre, ajouta-t-il avec un sourire à tomber par terre. Mon cœur est en jeu.

Elle eut un petit rire.

– Sornettes ! Les séducteurs comme vous n'ont pas de cœur.

Nicholas était enchanté. Apparemment, rien de ce qu'il disait ne la déconcertait.

– Vous me blessez, ma chère, à me comparer à quelqu'un comme Malory.

– Je n'y pensais même pas, monsieur. Le cœur de Tony est le plus changeant qui soit. Il n'y a pas d'homme moins constant que lui. Et même, vous ne lui arrivez pas à la cheville, acheva-t-elle sèchement.

Elle était la maîtresse de cet homme ? Nicholas n'arrivait pas à croire en sa chance. Cette jeune personne acceptait tout simplement le fait que Malory ne lui serait jamais fidèle. Etait-elle prête à changer d'amant ?

– N'êtes-vous pas curieuse des raisons pour lesquelles je vous ai amenée ici ? demanda-t-il.

En tout cas, lui était curieux. Pourquoi n'était-elle pas troublée ?

– Oh non, répliqua-t-elle d'un ton léger. Je les ai déjà devinées.

– Vraiment ?

Il était amusé, attendant les extravagantes explications qu'elle n'avait sûrement pas manqué d'échafauder.

– Vous pensiez que j'étais Lady Eddington, et vous vouliez lui faire rater le bal des Shepford. Et pour mieux vous venger d'elle, vous vouliez y aller et danser toute la nuit. L'avez-vous fait ?

Nicholas se secoua de sa stupeur.

– Quoi ?

– Danser.

– Non.

– Ah ! vous avez dû la retrouver là-bas. Comme j'aurais aimé voir votre tête à ce moment-là ! s'exclama-t-elle en riant. La surprise a dû être de taille.

– De taille... en effet, reconnut-il.

Il n'en croyait pas ses oreilles. Comment diable avait-elle deviné tout ça ? Qu'avait-il dit en la transportant ici ?

– Vous avez un avantage sur moi. J'ai apparemment beaucoup trop parlé.

– Vous ne vous en souvenez pas ?

– Pas vraiment. J'étais ivre, j'en ai bien peur.

– Dans ce cas, j'imagine que cela excuse en partie votre conduite, n'est-ce pas ? Mais vous n'en avez pas tant dit que cela, rassurez-vous.

– Vous connaissez Lady Eddington ?

– Oui. Pas très bien, en fait. Je l'ai rencontrée pour la première fois cette semaine. Mais elle a été assez gentille pour me prêter son cabriolet.

Soudain il quitta la porte et, traversant la pièce, s'arrêta à quelques centimètres d'elle. Elle était encore plus belle de près. A sa grande surprise, elle ne recula pas mais leva les yeux vers lui, comme si elle lui faisait une entière confiance.

– Qui êtes-vous ? demanda-t-il d'une voix rauque.

– Regina Ashton.

Pensif, il fronça les sourcils.

– Ashton ? C'est le nom de famille du comte de Penwich, non ?

– Effectivement. Vous le connaissez ?

– Non. Il possède un bout de terre en bordure de mon domaine. J'ai essayé de le lui acheter depuis des années, mais ce snob... ne prend même pas la peine de me répondre. Vous n'avez aucun lien de parenté avec lui, j'espère ?

– Malheureusement, si. Mais c'est un parent très éloigné.

Nicholas ricana.

– Je connais bien des dames qui souhaiteraient être parentes d'un comte.

– Vraiment ? C'est qu'elles n'ont pas rencontré l'actuel comte de Penwich. Je ne l'ai heureusement pas vu depuis des annécs, mais je doute qu'il ait beaucoup changé. C'est un snob, vous avez raison.

Il sourit.

– Qui sont vos parents, alors ?

– Je suis orpheline, monsieur.

– Je suis désolé.

– Tout comme moi. Mais je possède une vraie famille du côté de ma mère. Ils ont toujours veillé sur moi. A présent, il serait juste de me dire qui vous êtes, vous ne croyez pas ?

– Nicholas Eden.

– Le quatrième vicomte de Montieth ? Ô Seigneur, mais j'ai entendu parler de vous...

– De scandaleux mensonges, je vous l'assure.

Elle lui dédia un large sourire.

– J'en doute. Mais n'ayez aucune crainte : je n'ai pas une mauvaise opinion de vous. Après tout, personne n'est aussi débauché que Tony ou que son frère James. Et je les aime énormément tous les deux.

Comme il ouvrait de grands yeux, elle éclata de rire.

– Je crains de ne pas trouver ça drôle, fit-il froidement.

– Oh, mais ça l'est, je vous assure. Vous semblez croire que Tony et moi... Oh, voilà qui est fameux ! Il faudra que je lui raconte... non, il ne vaut mieux pas. Il ne verra pas le comique de la situation. (Elle soupira.) Vous autres, les hommes, êtes si collet monté parfois. Vous comprenez, c'est mon oncle.

– Si c'est ainsi que vous préférez l'appeler.

Elle s'esclaffa à nouveau.

– Vous ne me croyez pas ?

– Ma chère Miss Ashton...

– Lady Ashton, corrigea-t-elle.

– Très bien, Lady Ashton. Laissez-moi vous dire que Derek Malory, le fils de Jason Malory, est un de mes meilleurs amis...

– Je sais.

– Vraiment ?

– Oui, votre meilleur ami, d'ailleurs. Vous avez fait vos études ensemble, même si vous avez fini quelques années avant lui. Vous vous êtes pris d'affection pour lui, contrairement aux autres. Il vous en a été reconnaissant. Et moi aussi, pour tout dire. Même si je n'avais que onze ans à l'époque. Où croyez-vous que j'aie entendu parler de vous, Lord Montieth ? Cousin Derek n'avait que votre nom à la bouche à chaque fois qu'il rentrait pour les vacances.

– Dans ce cas, pourquoi ne m'a-t-il jamais parlé de vous ?

– Pourquoi l'aurait-il fait ? Je suis certaine que vous aviez des sujets de discussion plus palpitants que les états d'âme d'une gamine.

Nicholas fronça les sourcils.

– Qui me dit que vous n'êtes pas en train d'inventer toute cette histoire ?

– Rien, rien du tout.

Ses yeux brillaient de malice. Sacré nom, qu'elle était belle !

– Quel âge avez-vous ? reprit-il.

– Vous n'êtes donc plus en colère ?

– Je l'étais ?

– Oh, mais oui ! (Elle sourit.) Même si je n'arrive pas à imaginer pourquoi. C'est moi qui devrais l'être, non ? Et j'ai dix-neuf ans, si vous tenez à le savoir, bien que ce soit impoli de votre part.

Il se détendit à nouveau. Elle était magnifique. Il mourait d'envie de la prendre dans ses bras.

– Est-ce votre première saison, Regina ?

Elle appréciait la façon dont il prononçait son nom.

– Reconnaissez-vous enfin que je suis bien celle que je prétends être ?

– Je suppose que je n'ai pas le choix.

– Vous n'êtes pas obligé d'avoir l'air aussi déçu.

– Si vous tenez à le savoir, je suis ravagé.

Sa voix s'enrouait et il se permit de laisser un doigt courir sur la joue de Reggie, très légèrement, comme pour ne pas l'effrayer.

– Je ne veux pas que vous soyez innocente, expliqua-t-il. Je veux que vous sachiez exactement ce que j'ai en tête quand je dis que je veux vous faire l'amour, Regina.

Elle sentit les battements de son cœur s'accélérer.

– Vous le voulez ? murmura-t-elle avant de se reprendre – elle ne devait pas se laisser aller. Bien sûr que vous en avez envie, le taquina-t-elle. Ça se lit dans vos yeux.

Sa main retomba d'un coup et il plissa les paupières.

– Comment savez-vous lire ceci dans mes yeux ?

– Oh, voilà que vous êtes à nouveau en colère ! gémit-elle avec une innocence désarmante.

– Bon sang ! gronda-t-il. Vous n'êtes donc jamais sérieuse ?

– Si je devenais sérieuse, Lord Montieth, nous serions tous les deux dans un fichu pétrin.

Seigneur, songea-t-il, elle n'était pas aussi légère qu'elle le paraissait. Une autre jeune femme, toute différente, se cachait sous cette apparence mutine.

Elle le contourna et gagna le centre de la pièce. Quand elle se retourna vers lui, elle avait retrouvé son sourire espiègle et des étincelles brillaient à nouveau dans ses yeux bleus.

– C'est ma deuxième saison et j'ai rencontré des tas d'hommes tout aussi incorrects que vous.

– Je ne le crois pas.

– Qu'il existe des hommes aussi incorrects que vous ?

– Que ce soit votre deuxième saison. Etes-vous mariée ?

– Vous sous-entendez que je devrais l'être ? Hélas ! il semble bien que, pour ma famille, personne ne soit digne de moi. Une situation tout à fait déplaisante, je vous prie de me croire.

Nicholas rit de bon cœur.

– Dommage que j'aie dû naviguer vers les Indes occidentales l'an dernier pour inspecter quelques propriétés. Je vous aurais rencontrée plus tôt.

– Auriez-vous essayé d'obtenir ma main ?

– J'aurais essayé de vous obtenir, vous.

Pour la première fois, Reggie rougit.

– Vous allez trop loin.

– Pas aussi loin que je le désirerais.

Il est vraiment dangereux, pensa-t-elle. Beau, charmeur, dévoyé. Pourquoi n'avait-elle pas peur de rester seule en compagnie de Nicholas Eden ?

Le souffle court, elle ne le quitta pas des yeux tandis qu'il comblait la distance qui les séparait.

Nicholas souriait. Une veine battait faiblement sur la gorge de Regina et il mourait d'envie d'embrasser ce frémissement, de sentir l'émoi qui la gagnait.

– Je me demande si vous êtes aussi innocente que vous le proclamez, Regina Ashton ?

Elle ne devait pas céder... si séduisant, si ensorcelant... elle ne devait surtout pas céder.

– Connaissant ma famille, vous ne devriez nourrir aucun doute là-dessus, Lord Montieth.

– Vous n'avez pas été scandalisée par votre enlèvement. Pourquoi ?

Il la surveillait attentivement.

– Oh, disons que j'ai apprécié le comique de la situation. Mais je me suis un peu inquiétée en pensant qu'oncle Tony pouvait découvrir où vous m'aviez emmenée et viendrait enfoncer votre porte avant votre retour. Cela aurait provoqué un beau scandale ! Je ne vois pas comment nous aurions pu garder le secret à propos de toute cette histoire et vous auriez alors été dans l'obligation de m'épouser – ce qui aurait été fort dommage, car jamais nous ne nous serions entendus.

– Vous en êtes sûre ? fit-il, amusé.

– Tout à fait ! s'exclama-t-elle avec une horreur feinte. Je serais tombée follement amoureuse de vous tandis que vous auriez continué à vous conduire en vil séducteur. Vous m'auriez brisé le cœur.

– Vous avez absolument raison, soupira-t-il, entrant dans son jeu. J'aurais fait un très mauvais mari. Il n'y a d'ailleurs aucune chance pour qu'on me force à me marier.

– Même pas si vous aviez ruiné ma réputation ?

– Même pas.

Il était évident qu'elle n'appréciait nullement cette réponse et il s'en voulut de s'être montré aussi inutilement honnête. La colère rendit ses yeux d'ambre encore plus brillants, comme si une lumière surnaturelle venait de s'y allumer. Reggie frissonna.

– Vous avez froid ? demanda-t-il en la voyant se frotter les avant-bras.

Oserait-il l'enlacer ?

Elle se saisit de sa cape et s'en drapa.

– Je pense qu'il est temps...

– Je vous ai effrayée, dit-il gentiment. Ce n'était pas mon intention.

– Je sais parfaitement quelles sont vos intentions, monsieur, répliqua Reggie.

Elle se pencha pour mettre ses escarpins mais, quand elle se redressa, elle se retrouva dans ses bras. Il se débrouilla avec une telle habileté et une telle rapidité qu'elle sentit sa bouche sur la sienne avant de pouvoir protester. Il avait la saveur du cognac, douce et enivrante. Oui, elle savait que ce serait ainsi : paradisiaque.

Il la souleva de terre, la serrant contre lui. Pour la première fois, elle sentit physiquement comment le désir transformait un homme. Cela la choquait et l'excitait en même temps. Ses seins, pressés contre le tissu de sa veste, vibraient. Une sensation inconnue prenait naissance au plus profond d'elle-même et se répandait dans son corps comme un délicieux poison.

Ses lèvres quittèrent les siennes et descendirent le long de sa gorge. Il embrassa la veine battante avant de revenir lécher tendrement sa bouche.

– Il ne faut pas, parvint à murmurer Reggie.

Elle ne reconnut même pas sa propre voix.

– Oh si, il le faut... il le faut vraiment.

Il la serra plus fort encore.

Elle gémit. Ce qui se passait à présent n'avait plus rien de comique. Ses lèvres effleuraient à nouveau la naissance de sa poitrine.

– Reposez-moi, dit-elle, haletante. Derek va vous haïr.

– Je m'en fiche.

– Mon oncle vous tuera.

– Cela en vaut la peine.

– Vous ne penserez pas la même chose en voyant son arme pointée sur vous. Maintenant, reposez-moi, Lord Montieth !

Nicholas la laissa doucement, sensuellement, glisser contre lui.

– Vous feriez-vous du souci pour moi, par hasard ?

Il la serrait toujours contre lui et la chaleur de son corps la troublait.

– Certainement. Je n'aimerais pas vous voir mourir pour une... petite escapade.

– C'est ainsi que vous nommez l'acte d'amour ? plaisanta-t-il, enchanté.

– Ce n'est pas à cela que je pensais, mais au fait que vous m'ayez amenée ici. Je vais déjà avoir un mal de chien à convaincre Tony d'oublier toute cette affaire.

– Vous voulez donc me protéger ? dit tendrement Nicholas.

Reggie le repoussa. Elle avait du mal à garder l'esprit clair en restant si près de lui. Sa cape était tombée et il la ramassa galamment avant de la lui tendre.

Elle soupira.

– Si Tony ignore votre identité, je me garderai bien de la lui révéler. Mais s'il la connaît, eh bien j'imagine que je ferai de mon mieux pour sauver votre peau. Mais je désire que vous me raccompagniez sur-le-champ, avant qu'il ne commette une folie... comme de dire aux autres que j'ai disparu.

– Au moins, vous me laissez un espoir, remarqua Nicholas en souriant. Je ne ferais peut-être pas un bon mari mais on m'a dit que j'étais un excellent amant. Vous voudrez bien y songer ?

Elle fut choquée.

– Je ne veux pas d'amant.

– Je vais donc devoir vous poursuivre toute la saison jusqu'à ce que vous changiez d'avis.

Il était incorrigible, songea-t-elle tandis qu'il l'escortait enfin hors de la maison. Incorrigible et terriblement tentant. Tony ferait bien de se montrer convaincant avec oncle Jason, car Nicholas Eden pouvait très bien mener une fille à sa perte.

6

– Désolé de vous avoir fait manquer le bal.

Nicholas arrêta son attelage à une certaine distance de la maison d'Anthony Malory. Il dévorait Reggie du regard.

Elle sourit.

– Je parie que vous regrettez encore plus d'avoir manqué votre affaire avec Lady Eddington.

– Pari perdu. J'ignore pourquoi je me suis conduit ainsi. L'alcool, sans doute. Mais maintenant, ça n'a plus aucune espèce d'importance.

– Ridicule ! Vous étiez jaloux parce qu'elle était avec Tony.

– Vous avez encore tort. Je n'ai jamais été jaloux de ma vie, de rien ni de personne.

– Vous en avez, de la chance !

– Vous ne me croyez pas ?

– Je ne vois pas pour quelle autre raison vous l'auriez enfermée toute la nuit, et vous ne vouliez même pas rester avec elle.

Nicholas s'esclaffa.

– Vous semblez le regretter.

Elle rougit.

– Pas du tout. En tout cas, vous n'avez pas à

vous sentir désolé de m'avoir fait manquer le bal. Je ne le suis pas.

– Parce que vous m'avez rencontré ? risqua-t-il. Vous m'encouragez, ma chère.

Elle sc redressa avec raideur.

– Je regrette de vous décevoir, Lord Montieth, mais telle n'est pas la raison. Ce bal ne m'intéressait pas. Je serais volontiers restée chez moi.

– Tout comme moi, si nous avions été ensemble. Il est encore temps, vous savez. Nous pouvons retourner chez moi.

Elle secoua la tête, réprimant un fou rire. En fait, depuis qu'elle l'avait rencontré, elle éprouvait une continuelle gaieté. C'était complètement idiot ! Mais elle savait qu'à présent, elle devait le quitter et oublier cette soirée.

– Je dois y aller, dit-elle doucement.

– Si vous le devez...

Ses doigts se refermèrent sur sa main gantée mais il ne fit aucun geste pour l'aider à descendre de voiture.

– Je veux vous embrasser une dernière fois avant que vous partiez, reprit-il.

– Non.

– Juste un baiser d'adieu.

– Non.

Sa main libre vint se poser sur sa joue. Il n'avait pas pris la peine d'enfiler ses gants et son chapeau et sa peau nue était brûlante. Elle était incapable de bouger, attendant qu'il lui volât ce baiser qu'elle lui avait refusé.

Ce qu'il fit. Ses lèvres se collèrent aux siennes et elle eut de nouveau l'impression de basculer dans le vide. Sa bouche était chaude, experte, délicieusement parfumée.

– Allons-y, avant que je ne m'oublie, dit-il d'une voix rauque.

Etourdie, Reggie se laissa conduire docilement vers la demeure de son oncle.

– Vous feriez mieux de ne pas venir avec moi, chuchota-t-elle.

Des lumières brillaient dans la maison et elle imaginait Tony se ruant dehors, le pistolet à la main.

– Non, ne m'accompagnez pas, insista-t-elle.

– Ma chère, j'ai peut-être de nombreux travers mais personne ne m'a jamais accusé de ne pas être un gentleman. Or, un gentleman raccompagne une dame jusqu'à sa porte.

– Sottises ! Vous êtes un gentleman uniquement quand cela vous arrange.

Son inquiétude semblait beaucoup amuser Nicholas.

– Vous craignez pour ma vie ?

– Exactement. Tony est quelqu'un de très agréable en général, mais parfois, il est incapable de se contrôler. Je dois lui expliquer qu'il ne s'est rien passé entre nous.

Nicholas s'arrêta et la força à le regarder.

– S'il a si mauvais caractère, je ne vous laisserai pas l'affronter toute seule.

Il voulait la protéger de Tony. C'était trop drôle !

– Vous ne comprenez pas les relations qui nous lient, Tony et moi. Je suis la dernière personne à qui il ferait du mal. Je n'ai aucune raison de le craindre. Nous sommes très proches, vous savez, si proches qu'il bouleverse régulièrement sa vie à cause de moi. Quand je séjourne chez lui, il s'abstient de fréquenter ses conquêtes, pendant des mois parfois. Vous devez pouvoir imaginer ce que représente un tel sacrifice, conclut-elle sèchement.

Souriant, il n'en continua pas moins à l'escorter.

– Un point pour vous. Quoi qu'il en soit, je n'agis jamais sans raison et j'irai jusqu'à votre porte.

Elle voulut protester à nouveau mais ils étaient déjà arrivés. Priant pour qu'on ne les eût pas entendus, pour que la porte ne s'ouvrît pas, elle murmura :

– Quelle peut être cette raison qui...

Il l'interrompit avec un air coquin :

– J'ai maintenant une bonne excuse pour vous donner un nouveau baiser d'adieu.

Il la prit dans ses bras, sa bouche s'unissant à la sienne. Une passion brûlante, aveuglante, la saisit. Plus rien d'autre ne comptait. Elle avait l'impression de fondre, de se fondre en lui. En cet instant, elle était sienne...

Nicholas mit un terme à leur étreinte avec difficulté. Il l'écarta sans ménagement, sans toutefois la lâcher, ses doigts lui agrippant les bras. Il la garda ainsi à bout de bras, le souffle oppressé, les yeux brillants.

– Je vous veux, douce Regina. Ne me faites pas attendre trop longtemps. Je sais, et vous l'admettrez bientôt, que vous me voulez aussi.

Soudain, elle se rendit compte qu'il l'avait quittée et qu'il s'éloignait. Elle lutta contre la folle envie de lui courir après. Son cœur était affolé, ses jambes vacillaient.

Reprends-toi, espèce de dinde, se dit-elle, ce n'est pas la première fois qu'on t'embrasse !

Reggie attendit de voir Nicholas grimper dans la voiture avant de pivoter à regret. Elle ouvrit la porte et pénétra dans la maison. L'entrée et le hall étaient éclairés et, Dieu merci, vides. Remarquant la porte de la bibliothèque entrouverte, elle s'approcha d'un pas silencieux. Elle espérait que Tony s'y trouvait et n'arpentait pas Londres à sa recherche.

Il y était, assis à son bureau, la tête entre les mains, les doigts enfouis dans les cheveux comme s'il voulait se les arracher. Devant lui se trouvaient une carafe de cognac et un verre.

Son abattement ramena Reggie à la réalité. Le remords l'assaillit. Tandis qu'elle s'amusait, la personne qui comptait le plus pour elle était malade d'inquiétude. Et plutôt que de rentrer ici au plus vite, elle avait préféré prendre son temps, profiter de chaque instant passé avec Nicholas. Comment pouvait-elle se montrer aussi égoïste ?

– Tony ?

Il sursauta et leva les yeux. La surprise puis le soulagement se peignirent sur ses traits. Il se précipita vers elle et la prit dans ses bras, la serrant si fort qu'elle crut que ses côtes allaient céder.

– Dieu tout-puissant, Reggie, j'étais mort d'inquiétude ! Je n'avais pas connu ça depuis que James t'avait emmenée à... euh... peu importe maintenant. (Il l'observa attentivement.) Tu vas bien ? On ne t'a pas fait de mal ?

– Je vais bien, Tony. Vraiment.

Elle en avait l'air en tout cas. Pas de plis à sa robe, pas une mèche de cheveux déplacée. Mais elle était restée absente près de trois maudites heures et il avait eu le temps d'imaginer le pire...

– Je le tuerai à la première heure demain matin, dès que je saurai son adresse !

Voilà donc pourquoi il n'est pas venu défoncer la porte, songea Reggie.

– C'était parfaitement innocent, Tony, commença-t-elle. Une méprise...

– Je sais qu'il s'agissait d'une méprise. Cet idiot de cocher me l'a dit. Il n'arrêtait pas de répéter que Montieth te ramènerait d'un moment à l'autre, que Lady Eddington et lui étaient... euh... tu vois ce que je veux dire. Oh, bon sang !

Sa gêne fit sourire Reggie.

– Oui, je vois parfaitement. Le malheureux pensait que toi et sa...

– Ne le dis pas ! Et ce n'est pas une excuse, de toute façon !

– Mais tu imagines sa tête, Tony, quand il s'est aperçu qu'il n'avait pas enlevé la bonne personne ? s'esclaffa Reggie. Oh, j'aurais bien aimé voir ça !

Il fronça les sourcils.

– Comment se fait-il que tu ne l'aies pas vu ?

– Je n'étais pas là. Il m'a laissée chez lui et il est allé au bal. Tu comprends, son unique intention était de priver Lady Eddington de ce bal. Quel choc il a dû éprouver en la rencontrant là-bas ! Il avait enfermé chez lui une parfaite inconnue.

– Il t'a enfermée chez lui ?

– Dans une pièce tout à fait confortable, le rassura-t-elle très vite. Tu vois bien que je n'étais pas avec lui tout le temps... en fait, nous ne sommes restés ensemble que quelques minutes. Il ne m'a fait aucun mal et il m'a ramenée ici, saine et sauve.

– Je n'arrive pas à le croire, on dirait que tu le défends ! Si j'avais su où le trouver, il serait mort à l'heure qu'il est. Cet imbécile de cocher ne savait rien. J'ai envoyé un homme faire la tournée des clubs pour obtenir son adresse mais avec ce satané bal, ils étaient tous déserts. J'étais même prêt à faire irruption chez les Shepford pour dénicher des renseignements sur cette canaille.

– Et alors oncle Edward aurait appris que je n'étais pas avec toi et l'enfer se serait déchaîné, conclut-elle à sa place. Tu as bien fait de ne pas y aller. Ainsi, personne ne sait que je n'étais pas ici toute la soirée. Il ne nous reste plus qu'à décider si je reste ici ou si je retourne chez oncle Edward. Que suggères-tu ?

Il comprit immédiatement ce qu'elle avait en tête.

– Oh non, ma fille. Ne crois pas que je vais passer l'éponge sur cette affaire.

– Si tu ne le fais pas, ma réputation est ruinée, répliqua-t-elle avec gravité. Parce que personne ne croira que j'ai passé trois heures chez Lord Montieth et qu'il ne s'est rien passé. Et il ne s'est réellement rien passé. Tu peux me faire confiance, non ?

Il la fixa.

– Bon... je ne le tuerai pas. Mais il recevra la leçon qu'il mérite amplement.

– Mais il ne s'est rien passé, Tony ! insista-t-elle. Et... et je ne veux pas que tu lui fasses du mal.

– Tu ne... Seigneur ! Pourquoi ?

– Il me plaît, dit-elle simplement. Il me fait penser à toi.

Lord Malory devint livide.

– Je vais le tuer !

– Arrête ! cria-t-elle. Tu n'abuserais jamais d'une jeune femme contre son gré. Lui non plus.

– Il t'a embrassée ?

– Eh bien...

– Bien sûr qu'il l'a fait. Seul un idiot ne le ferait pas et il n'est pas idiot. Je vais...

– Non, tu ne vas pas ! s'écria-t-elle à nouveau. Tu feras semblant de ne pas connaître son nom, et quand tu le rencontreras, tu l'ignoreras. Parce que si tu lui fais du mal, j'ignore si je pourrais jamais te le pardonner. Je me suis amusée ce soir, comme cela ne m'était pas arrivé depuis très longtemps. (Elle prit un ton suppliant.) S'il te plaît, oncle Tony.

Il voulut dire quelque chose mais se ravisa. Il fronça les sourcils et soupira lourdement avant de déclarer avec gentillesse :

– Il n'est pas pour toi, mon cœur. Tu t'en rends compte, n'est-ce pas ?

– Oui, je le sais. Mais s'il était un tout petit peu moins débauché, c'est lui que je choisirais.

– Il faudra me tuer avant !

Elle prit son air le plus malicieux.

– Je savais que tu dirais ça.

7

Reggie s'assit à sa coiffeuse, fixant d'un air rêveur la petite marque à la naissance de sa gorge. La marque laissée par la passion de Nicholas Eden. Elle la toucha du bout du doigt. Heureusement qu'elle n'avait pas enlevé sa cape en rentrant chez Tony la veille. Elle allait devoir porter une écharpe pendant quelque temps.

Il était tard. Elle avait dormi plus qu'à son habitude. Ses cousins avaient dû prendre leur petit déjeuner. S'ils n'étaient pas déjà partis, elle leur réciterait la petite histoire que Tony et elle avaient imaginée.

Celui-ci avait envoyé un message à son frère Edward, disant simplement que Reggie n'irait pas au bal finalement. Uniquement cela, sans donner de raison. Leur version était que Tony n'était pas chez lui quand elle y était arrivée. Elle avait dû l'attendre. De plus, leur discussion avait duré plus longtemps que prévu. Elle s'était terminée très tard et elle avait donc décidé d'aller se coucher. Les domestiques d'oncle Edward confirmeraient que Tony l'avait raccompagnée et qu'elle était montée tout droit dans sa chambre.

Reggie soupira et sonna Meg, avant de chercher fébrilement un foulard. Meg ne devait pas voir cette trace, elle non plus.

Quand elle descendit une demi-heure plus tard, ce fut pour trouver tante Charlotte et ses cousines, Clare et Diana, en pleine réception. Il y avait là les Braddock, mère et fille, Mme Faraday et sa sœur Jane, et deux autres ladies que Reggie ne connaissait pas. Tous les regards se braquèrent sur elle à son entrée. Reggie commença à se sentir mal à l'aise.

– Ma chère Regina, fit Mme Faraday avec une étrange sympathie, vous avez l'air radieuse... malgré tout ce que vous avez subi.

Reggie sentit son estomac se nouer. Non, c'était impossible. Elles ne pouvaient pas déjà être au courant.

Nicholas Eden, quatrième vicomte de Montieth, s'étira sur son lit immense, les bras croisés derrière la nuque, un drap recouvrant sa nudité. Il était réveillé depuis plus d'une heure mais n'avait fait aucun effort pour se lever et affronter cette journée. Il avait manqué depuis longtemps sa promenade matinale à cheval dans Hyde Park. D'ailleurs, il n'avait rien de bien important à faire aujourd'hui, sinon une autre lettre au comte de Penwich qui pouvait attendre. De toute manière, il n'en retirait que de l'irritation puisque le cher comte ne daignait jamais lui répondre.

Il devait aussi entrer en contact avec le directeur de sa compagnie de navigation à Southampton pour annuler son voyage. Il avait prévu de retourner aux Indes occidentales pour quelques mois, mais après ce qui s'était passé hier soir, pour rien au monde il n'aurait quitté la ville.

Elle s'appelait Regina. Il prononça son nom à haute voix, se régalant de la façon dont il roulait sur sa langue. Douce et belle Regina, à la chevelure d'ébène et aux yeux de porcelaine. Et quels yeux ! Il lui suffisait de fermer les paupières pour les revoir, pétillants de malice. Il y avait tellement de vie dans ces yeux. Regina, belle entre les belles, incomparable Regina.

Nicholas pouffa de rire. Percy dirait qu'il avait perdu la tête. Etait-ce vrai ? Non, bien sûr que non, mais il ne se souvenait pas avoir autant désiré une femme. Regina Ashton...

Il soupira. Tante Ellie lui dirait sûrement d'épouser la fille et d'être heureux. Elle était la seule depuis la mort de son père qui se souciât un peu de lui. Sa grand-mère aussi peut-être. Ou peut-être pas. C'était difficile à dire, avec ce vieux tyran de Rebecca.

Et, bien sûr, il y avait sa « mère ». Elle était bien la dernière à désirer son bonheur. C'était à cause d'elle qu'il n'épouserait jamais Regina ni aucune autre fille de bonne famille. Il ne se marierait pas, en tout cas pas avant la mort de cette femme qu'on prenait pour sa mère. Avec elle disparaîtrait la menace qu'elle faisait planer sur lui.

Nicholas rejeta le drap et se leva : songer à la comtesse douairière lui gâchait sa joie. C'était sa faute s'il ne retournait que très rarement à Silverley, son domaine dans le Hampshire. Pourtant, il adorait Silverley et regrettait amèrement de ne pouvoir y séjourner. Il ne s'y rendait qu'en l'absence de la comtesse. Et elle s'arrangeait bien sûr pour y demeurer le plus possible.

Il sonna Harris, son valet, qui lui apprit que Lord Alden et Lord Malory l'attendaient dans la salle à manger.

Quand il les rejoignit quelques instants plus tard, Derek Malory était assis à table devant une assiette bien garnie. Dans un fauteuil, Percy sirotait du café. Derek le salua joyeusement avant de reprendre ses plaisanteries à l'égard de la jeune soubrette. Percy fit signe à Nicholas de venir le rejoindre avec un sourire de conspirateur.

– Je sais qui est le petit oiseau que tu as ramené à la maison hier soir, chuchota-t-il avant d'incliner la tête vers Derek. Il l'ignore encore, mais ça ne durera pas. Avant la fin de la journée...

Nicholas eut l'impression de recevoir un coup de poing dans le ventre. Il fit un effort pour chuchoter à son tour d'une voix calme :

– Voudrais-tu être assez bon pour me dire comment tu l'as appris ?

– Ce n'est pas un secret, ricana Percy. En fait, je parie que d'ici ce soir, toute la ville le saura. Je l'ai entendu sur Rotten Row. Je suis tombé sur deux mignonnes que je connais et qui mouraient d'envie de me révéler le dernier potin.

– Qui a parlé ?

Surpris par le ton irrité de Nicholas, Derek lui adressa un vague regard avant de se consacrer à nouveau à Lucy.

– Lady Eddington, mon cher. Son cocher a dû penser que les événements d'hier soir la passionneraient. Il paraît qu'elle a rosi de plaisir en imaginant que tu étais assez jaloux pour accomplir un tel exploit. Il fallait absolument qu'elle le raconte à toutes ses chères amies... et même à celles qui ne lui sont pas si chères. Oh, elle a eu une matinée très occupée.

– Que cette chienne pourrisse en enfer !

– Oui, eh bien si j'étais toi, je quitterais Londres pendant un bout de temps.

– Pour la laisser affronter ceci toute seule ?

– Cela ne t'a jamais gêné jusqu'ici.

Cette remarque valut à Percy un regard noir.

– Ne m'en veux pas, Nick. Elle s'en sortira mieux que toi. Nul doute qu'on la mariera très vite, comme toutes tes autres victimes, et qu'elle vivra très heureuse. Mais il faut penser à l'oncle de Derek, sans parler de son père. Ils exigeront ta tête. Tu n'en sortiras pas indemne. Après tout, tu l'as compromise. Avec celle-ci, ce ne sera pas aussi facile qu'avec les autres.

– Ridicule, je ne l'ai même pas touchée.

– Bien sûr, mais qui le croira ? remarqua sagement Percy. Tu ferais mieux de disparaître avant qu'un des oncles ne vienne te défier.

A cet instant, Tyndale apparut à la porte et annonça :

– Un envoyé de Lord Malory voudrait vous voir, milord.

Derek parut surpris en apercevant l'homme debout derrière Tyndale.

– Oh, Nicky, il doit y avoir une erreur. Ce bonhomme ne travaille pas pour moi.

– Je m'en serais douté, maugréa Nicholas tandis que Percy poussait un gémissement.

8

– Non !

Anthony leva les yeux vers sa nièce qui venait de se ruer dans la pièce et fixait d'un air effaré le pistolet qu'il nettoyait. Il lui lança un regard impatient avant de reprendre son examen.

– Il est trop tard, Reggie.

– Tu l'as déjà tué ! cria-t-elle.

Il ne leva pas la tête et ne vit donc pas que toute couleur avait déserté son visage.

– J'ai envoyé un homme chez lui. Je n'ai eu aucun problème à trouver son adresse ce matin. Il ne devrait plus tarder à arriver, pour que nous nous mettions d'accord sur l'heure et le lieu.

– Non, non, non !

Cette fois-ci, il la regarda. Les yeux de sa nièce lançaient des éclairs.

– Ecoute, Reggie...

Elle ne lui laissa pas le temps d'en dire plus et désigna son arme :

– C'est avec ça que tu règles tous tes problèmes ? Je croyais que nous nous étions arrangés hier soir ?

– C'était avant que les aventures de Lord Montieth deviennent l'unique sujet de discussion en ville. Peut-être ne sais-tu pas que ton nom est sur toutes les lèvres ce matin ?

Reggie accusa le coup mais répliqua :

– Je le sais. Je viens de quitter une pièce remplie de femmes prêtes à m'offrir leur sympathie.

– Et que leur as-tu dit ?

– Eh bien, je ne pouvais pas nier. Le cocher a tout vu. Mais j'ai menti en disant que j'ai été aussitôt ramenée, que Lord Montieth a très vite compris sa méprise.

Anthony secoua la tête.

– Et elles ne t'ont pas crue, n'est-ce pas ?

– Eh bien... non, admit-elle à regret.

– Parce que ce maudit cocher t'a attendue une bonne heure sans te voir rentrer. Et une heure suffit amplement pour faire ce que tout le monde s'imagine. Ton mensonge était maladroit : il suggère que tu as quelque chose à cacher.

– Mais ce n'est pas vrai !

– Les commérages se fichent pas mal de la vérité.

– Oh, que vais-je faire, Tony ? gémit-elle, désespérée.

– Toi, rien. Tu t'en sortiras avec le soutien de toute la famille. Quant à lui, il va payer pour avoir terni ton nom.

– Tu ne le provoqueras pas en duel.

Les yeux d'Anthony n'étaient plus que deux fentes.

– Si je ne le fais pas, Jason s'en chargera et il se fera tuer. Il n'est pas aussi bon tireur que moi.

– Personne ne sera tué, Tony, dit-elle comme si tout dépendait d'elle. Il doit bien y avoir une autre solution. C'est pour cela que je suis venue. J'avais peur que tu n'aies déjà quitté la ville. Comment as-tu appris ces rumeurs ?

– En fait, j'étais en train de partir quand j'ai rencontré un vieil ami. C'est lui qui m'a dit que le scandale avait éclaté. Heureusement qu'il m'a prévenu car à l'heure qu'il est, je serais à Gloucester et ce vieil Eddie devrait s'occuper de ça tout seul. Je n'ose imaginer comment il se serait débrouillé.

– Au moins, lui n'aurait pas sauté sur le pistolet le plus proche, rétorqua-t-elle.

Anthony fit grise mine.

– Le sait-il ?

– Pas encore. Il est resté enfermé toute la matinée dans son bureau. Tante Charlotte m'a promis qu'elle essaierait de le lui cacher le plus longtemps possible. Je pensais que peut-être tu voudrais bien...

– Froussarde. Mais à ta place, je ne m'inquiéterais pas pour Eddie. C'est Jason qui va en faire une maladie.

– En tout cas, il ne l'apprendra pas avant un certain temps.

– Ne compte pas là-dessus, ma petite. Il le saura avant la fin de la journée, demain au plus tard. Ignores-tu qu'il te fait surveiller quand tu séjournes à Londres, cité de tous les vices ?

– Il n'oserait pas !

– Bien sûr qu'il ose, affirma Anthony. Il recevait des rapports réguliers sur toi quand tu te trouvais en Europe. Rien n'échappe à Jason. Même moi, je ne suis pas à l'abri de ses investigations. Comment crois-tu qu'il découvre aussi rapidement chacune de mes incartades ?

Reggie poussa un gémissement. Elle tombait de Charybde en Scylla. Jason pouvait se montrer aussi sauvage que Tony. De plus, c'était un homme de principes. Dès qu'il était question d'honneur, il était impossible de lui faire entendre raison.

Pour lui, il n'y aurait qu'une solution. Mais cette solution n'avait aucune chance de réussir. Nicholas Eden n'accepterait jamais. Il préférerait affronter ses oncles l'un après l'autre en duel plutôt que de l'épouser. Elle en était certaine.

Elle se mordit la lèvre.

– Il y a sûrement un moyen, Tony, une histoire à inventer.

– On pourrait en inventer des douzaines, mon chou, mais aucune ne serait crue. Le problème est que ce Montieth a déjà séduit d'autres innocentes. Qu'il soit resté seul avec toi – même si ce n'était pas toi qu'il visait – implique qu'il a profité de la situation. Il est trop joli garçon, tu n'auras pas pu lui résister. Voilà ce que penseront les gens. Et ce qu'ils diront.

Reggie rougit et détourna les yeux, mal à l'aise.

– Je ne sais même pas pourquoi je prends la peine d'en discuter avec toi, poursuivit Anthony. Il n'y a qu'une chose à faire et c'est à moi de m'en charger.

Reggie soupira. Elle avait pris une décision.

– Tu as raison, bien sûr. Je me demande pourquoi je repoussais cette idée.

Il haussa un sourcil soupçonneux.

– Pas de coup fourré, Reggie.

– Non. Tu vas veiller à ce qu'il m'épouse. C'est la seule issue.

Anthony bondit.

– Nom d'un chien ! Il n'est pas digne de toi !

– Pourtant...

– Non, non et non ! Et je vois parfaitement ce

que tu manigances, Regina Ashton. Tu imagines résoudre ainsi ton autre problème : tu n'auras plus à te chercher un mari.

– Maintenant que tu m'y fais penser... Oh ! Tony, vraiment, ça ne me dérangerait pas qu'il soit mon mari. Vraiment. Il te ressemble...

– Il me ressemble trop, c'est bien le hic.

– Mais il me fait aussi penser à oncle Edward. Et il y a aussi un peu d'oncle Jason en lui. Il a été très contrarié quand j'ai suggéré qu'après avoir ruiné ma réputation, il n'avait d'autre solution que de m'épouser.

– Tu as dit ça ?

– J'avais envie de plaisanter. Et il est devenu furieux. Il s'est conduit exactement comme oncle Jason l'aurait fait.

– Quoi, ce...

– Non, non, Tony. Il est parfait, tu ne le vois pas ? Il a un peu de vous tous... Exactement ce que je cherchais. Et puis, ce sera un vrai défi que de le remettre dans le droit chemin.

– Il ne changera jamais, Reggie. Il ne filera jamais droit.

Elle esquissa un sourire.

– Oh, je ne sais pas. Avec toi il n'y aurait aucune chance, mais avec lui... Et je lui plais. C'est un début.

– Ne te voile pas la face, bon sang ! Il a envie de toi. Comme il aura envie d'autres femmes. Et il leur courra après. Il ne te sera jamais fidèle.

– Je crois que je le sais, annonça-t-elle calmement.

– Et malgré cela, tu veux l'épouser ?

Elle voulait surtout qu'il ne meure pas. C'était cela l'alternative.

– Après tout, reprit-elle tranquillement, il doit réparer ses torts. Il m'a mêlée à un scandale, c'est donc à lui de m'en sortir. C'est la seule solution pour éviter un bain de sang et je suis sûre qu'oncle Jason l'approuvera.

– Je trouve ça un peu fort, grommela Anthony. C'est un marché de dupes. Montieth t'obtiendra tandis que toi tu ne recevras que du malheur.

– Il ne verra pas les choses ainsi, Tony. En fait, je suis certaine qu'il refusera.

– Tant mieux.

Anthony sourit et reprit le nettoyage de son arme.

– Oh non !... Tu dois me promettre de faire de ton mieux pour le convaincre, Tony.

– D'accord, acquiesça-t-il.

Elle eut envie de le gifler. Elle connaissait trop bien ce sourire insouciant.

– Je veux qu'oncle Edward soit avec toi quand tu lui parleras, reprit-elle, méfiante.

– Mais ton vicomte ne va pas tarder à arriver ici.

– Alors viens avec moi chez oncle Edward. Laisse un message à Lord Montieth lui fixant un autre rendez-vous ce soir. Et, Tony, ajouta-t-elle lentement en dénouant son écharpe, je pense qu'oncle Edward devrait voir ceci, pour être absolument persuadé de la nécessité de convaincre Montieth.

Le visage d'Anthony se durcit.

– Tu disais qu'il t'avait seulement embrassée !

Elle remit son écharpe en place avec un air angélique.

– Mais c'est un baiser qui a fait ceci, Tony.

– Comment a-t-il osé laisser sa marque sur toi ?

Reggie haussa les épaules, évitant soigneusement son regard.

– En voyant cette marque, oncle Edward va peut-être imaginer le pire. Il préviendra oncle Jason. Oh ! j'espère qu'ils ne vont pas précipiter le mariage. Je préférerais attendre quelques mois, juste pour être certaine que mon premier enfant naîtra après un intervalle décent.

– C'est du chantage, Reggie.

Elle ouvrit de grands yeux bleus, l'image même de l'innocence.

– Tu crois ?

– Jason aurait dû te faire goûter à la trique le jour où tu as commencé à manipuler les gens.

– Quelle horreur de dire une chose pareille !

Il éclata de rire en secouant la tête.

– Ne te donne pas tout ce mal avec moi, mon chou. J'obligerai ton vicomte à t'épouser, d'une manière ou d'une autre.

Elle se coula dans ses bras, ravie.

– Plus question de tuerie, alors ?

Il soupira.

– On en parlera peut-être mais on n'ira pas jusque-là. Eddie est l'esprit logique de la famille. Espérons qu'il trouvera un moyen de lui faire entendre raison sans recourir à la violence.

Il se libéra pour poser le pistolet.

– Tu disais que Montieth n'accepterait pas, Reggie. Et, têtu comme il est, il faudra autre chose que quelques bonnes paroles pour le faire changer d'avis. Toi-même, tu peux encore changer d'avis, tu sais.

Il la dévisageait avec intensité.

– Non. Plus j'y pense, plus je suis convaincue que c'est la meilleure chose à faire.

– Il risque de t'en vouloir, de te haïr. Y as-tu pensé ?

– C'est possible, en effet, mais je suis prête à courir le risque. Je n'aurais pas envisagé le mariage si je n'étais pas certaine de lui plaire. Mais il a vraiment essayé de me séduire... *Essayé,* j'ai dit. Non, il sera mon mari, Tony. Tu peux l'annoncer à oncle Edward et à oncle Jason. Je n'en veux pas d'autre.

– Très bien, acquiesça-t-il avant d'ajouter avec un regard perçant : Mais tu garderas cette écharpe, tu m'entends ? Inutile de ternir davantage l'image désastreuse de ton futur époux auprès de mes frères.

9

Il était 10 h 30 du soir et Nicholas restait assis dans sa voiture devant la demeure d'Edward Malory sur Grosvenor Square. Il avait déjà trente minutes de retard à son rendez-vous mais n'esquissait pas le moindre geste pour quitter sa place.

Il n'essayait même plus de deviner à quoi rimait tout ceci. Il avait parfaitement compris les intentions d'Anthony Malory ce matin-là mais, cette première rencontre n'ayant pas eu lieu, il ne savait plus que penser. Il n'arrivait pas à concevoir qu'un homme d'affaires tel qu'Edward le provoquât en duel. Alors, pourquoi l'avoir convoqué à cette heure-ci ? Sacré nom !

Finalement, il se décida. On le débarrassa de ses gants et de son chapeau. La maison le surprit : elle était bien plus vaste qu'on ne l'imaginait de l'extérieur. Il savait qu'Edward Malory avait plusieurs enfants et il y avait ici assez de place pour recevoir une dizaine d'entre eux. Les deux étages supérieurs abritaient sans doute des chambres à coucher ; quant au rez-de-chaussée, il était assez grand pour y donner un bal.

– Ils vous attendent, milord, annonça le maître d'hôtel.

Son visage était aussi expressif qu'un mur, mais sa voix était teintée de reproche. Nicholas faillit ricaner. Il savait qu'il était en retard.

Néanmoins, tout son humour s'envola quand le serviteur le fit pénétrer au salon. Sur un divan couleur crème se trouvaient Eleanor Marston, sa chère tante Ellie, avec à ses côtés Rebecca Eden, sa formidable grand-mère. L'auguste vieille dame donnait l'impression de vouloir le foudroyer sur place.

Bon. On lui avait réservé une fameuse réception. Il allait endurer les sermons de sa propre famille en plus de celle de Regina. Sa seule surprise était qu'on n'avait pas convoqué sa « mère », Miriam. Elle aurait adoré ça !

– Alors, tu as enfin trouvé le courage de te montrer, vaurien ? déclara la vieille dame sans préambule.

– Rebecca ! s'indigna Eleanor.

Nicholas sourit. Sa grand-mère savait aussi bien que lui qu'il ne s'angoissait pas pour si peu. Elle aimait simplement le taquiner. Tante Ellie, Dieu la bénisse, était toujours prête à prendre sa défense. Elle était d'ailleurs la seule à oser s'élever contre le vieux tyran. Elle vivait avec elle depuis vingt ans, ce qui continuait à stupéfier Nicholas car sa grand-mère était un véritable dictateur, qui régentait tout et tous avec une volonté de fer.

Il y avait bien longtemps de cela, Eleanor avait vécu avec Miriam et Charles Eden à Silverley. Mais les constantes querelles entre les deux sœurs avaient finalement renvoyé Ellie chez ses parents. Plus tard, elle avait rendu visite à la mère de Charles, Rebecca, en Cornouailles. Elle n'en était plus jamais repartie. Parfois, elle passait à Silverley mais sans jamais s'y attarder.

– Comment allez-vous, madame ? demanda Nicholas à sa grand-mère.

– Comme si tu te souciais de moi ! rétorqua-t-elle. Ne suis-je pas à Londres tous les ans à cette époque ?

– C'est votre habitude, en effet.

– M'as-tu rendu une seule visite depuis mon arrivée ?

– Je vous ai vue en Cornouailles le mois dernier, lui rappela-t-il.

– Là n'est pas la question. (Elle se renfonça dans le divan.) Eh bien, il semble que tu en as fait de belles cette fois-ci, non ?

– C'est ce qu'on raconte, répliqua-t-il sèchement avant de se tourner vers les deux Malory.

Le plus âgé vint vers lui pour l'accueillir cordialement. Corpulent, blond, les yeux verts, Edward Malory n'était pas très grand. Son frère, quant à lui, avait pris racine près de la cheminée. Ses yeux d'un bleu sombre évaluaient Nicholas d'un air sinistre. Sa ressemblance avec Regina était stupéfiante.

– Nous ne nous sommes jamais rencontrés, Nicholas, commença Edward Malory, mais j'ai très bien connu votre père, Charles, et je connais Rebecca depuis des années.

– Edward gère ma fortune et il le fait à la perfection, expliqua Rebecca. Tu ne le savais pas, hein vaurien ?

Voilà qui expliquait comment ils avaient pu la faire venir dans un délai aussi bref, se dit Nicholas avec un malaise grandissant.

Edward reprit la parole :

– Et je crois que vous connaissez mon plus jeune frère, Anthony ?

– Nous nous sommes croisés parfois, répliqua Nicholas sans esquisser le moindre geste vers Anthony.

Celui-ci lui témoigna la même froideur. Il était aussi grand que Nicholas et aussi large d'épaules. D'après Derek, il vivait une vie de débauche depuis l'âge de seize ans. Nicholas était prêt à parier que la vie d'Anthony recelait des scandales bien pires que cette ridicule méprise avec Regina. Alors pourquoi, au nom du Ciel, en faisait-il tout un plat ?

– Celui-là veut ta tête sur un plateau, vaurien, annonça sa grand-mère dans le silence gêné qui suivit les présentations.

– J'en suis conscient, madame, répondit Nicholas, faisant face à Anthony. Votre heure sera la mienne, milord.

Anthony ricana.

– Par Dieu, j'y compte bien. Mais avant de vous accorder ce dernier plaisir, j'ai promis de les laisser discuter avec vous.

Nicholas examina les autres. Les yeux bruns d'Ellie brillaient de sympathie et Edward semblait résigné. Sa nervosité s'accrut subitement et il fixa à nouveau Anthony.

– Milord, dit-il, j'aimerais régler notre différend.

– Ma nièce a d'autres désirs.

– Je vous demande pardon ?

– Elle est bien trop bonne, soupira Anthony. Elle ne veut pas qu'on vous fasse du mal... quel dommage !

Nicholas secoua la tête.

– Quoi qu'il en soit, je pense...

– Non, tudieu ! tonna Rebecca. Je n'étais pas là pour empêcher tes autres duels mais je te prie de croire que cette fois-ci, il n'en est pas question. Je te ferais plutôt jeter en prison, mon garçon. Crois-moi.

Nicholas essaya de sourire.

– Cet homme exige réparation, madame. C'est la seule solution que je puisse lui offrir.

– Lord Anthony est prêt à accepter autre chose qu'un duel, car il aime sa nièce. Nous devrions lui en être reconnaissants.

– Nous, madame ?

– Oh, épargne-nous tes sarcasmes ! Tu es fichtrement arrogant, complètement irresponsable, mais tu es aussi le dernier des Eden. Tu auras un héritier avant de gaspiller ta vie dans des duels.

Nicholas tressaillit.

– Joliment dit, madame. Mais qu'est-ce qui vous fait croire que je n'ai pas déjà un héritier quelque part ?

– Je te connais trop. Même s'il semble souvent que tu fasses tout pour accroître la population du globe, tu n'as pas de bâtard. Et tu sais que je ne l'accepterais pas, de toute manière.

– Est-il nécessaire d'aborder ce sujet, Rebecca ? demanda vivement Eleanor.

– Oui, répliqua la vieille dame en regardant les deux frères Malory.

– Nicky ? fit Eleanor.

Celui-ci soupira.

– Très bien, j'admets que je n'ai pas de bâtard, ni mâle, ni femelle. Vous avez raison, madame. C'est une chose à laquelle je fais très attention.

– La seule.

Il s'inclina brièvement sans répondre. L'air plutôt ennuyé, il restait apparemment calme, mais à l'intérieur Nicholas bouillait. Il appréciait ces joutes verbales avec sa grand-mère quand ils étaient seuls, mais pas devant des étrangers. Elle le savait et l'agaçait par pur sadisme.

– Oh, assieds-toi donc un peu, Nicholas, reprit Rebecca avec humeur. J'en ai assez de me tordre le cou à te regarder.

– Ceci va donc durer encore longtemps ?

Il sourit d'un air nonchalant avant de prendre un siège en face d'elle.

– S'il te plaît, ne rends pas les choses plus difficiles, déclara alors Eleanor.

Il en fut surpris. Ellie se liguait elle aussi contre lui ? Elle à qui il avait toujours pu parler, elle qui comprenait son amertume ? Tout au long de son enfance et de sa jeunesse, elle avait été l'épaule sur laquelle il allait pleurer. Combien de fois avait-il parcouru de nuit la longue route du Hampshire à la Cornouailles uniquement pour la voir ? Même maintenant, elle restait sa meilleure amie. Elle ne lui reprochait jamais sa manière de vivre. Comme si elle connaissait les raisons de sa conduite.

Ce n'était pas le cas, bien sûr. Seule Miriam savait. Elle seule savait pourquoi il marchait sur la corde raide, pourquoi il ne se reposait jamais...

Nicholas dévisagea sa tante avec tendresse. A quarante-cinq ans, elle était fort agréable à regarder avec ses fins cheveux blonds et ses grands yeux marron. Sa sœur aînée, Miriam, avait autrefois été la plus jolie des deux mais l'aigreur avait ravagé sa beauté. Il aimait à penser que la gentillesse d'Ellie la préservait des dommages du temps.

Il avait toujours secrètement désiré qu'elle fût

sa mère. Sa bonté et sa générosité la rendaient transparente. Il lisait en elle comme dans un livre ouvert. A l'évidence, elle était navrée de ce qui lui arrivait et priait silencieusement pour qu'il ne déclenchât pas une catastrophe. Elle avait aussi donné son accord à ce qui avait été décidé dans son dos. Mais se rangerait-elle aux côtés de sa grand-mère contre lui ? Elle ne l'avait jamais fait auparavant. Croyait-elle vraiment qu'il avait souillé Regina Ashton ? Oh, bien sûr, il aurait été tout à fait prêt à la séduire si elle avait été consentante, mais cela ne s'était pas passé. On ne pouvait le condamner pour ses intentions, quand même !

– Ils t'ont tout raconté, tante Ellie ? demanda-t-il.

– Je le crois.

– T'ont-ils dit qu'il s'agissait d'une méprise ?

– Oui.

– Et que j'ai ramené cette jeune personne sans lui avoir fait aucun mal.

– Oui.

– Alors que faisons-nous ici ?

Rebecca fronça les sourcils.

– Laisse-la tranquille, vaurien. Ce n'est pas sa faute si tu t'es fourré dans ce pétrin.

– Nous savons tous qui est fautif.

La voix méprisante d'Anthony s'était élevée derrière lui.

Nicholas commençait à en avoir assez.

– Que voulez-vous ? interrogea-t-il en se retournant pour le regarder droit dans les yeux.

– Tu dois deviner ce qu'il faut que tu fasses, Nicky, lui reprocha gentiment Eleanor. Ce qui est arrivé est extrêmement malheureux. Personne ici ne croit que tu lui voulais du mal mais sa réputation a été irrémédiablement ternie. A cause de toi, elle est la cible des pires commérages. C'est une terrible humiliation pour elle. Tu comprends, n'est-ce pas ? (Elle reprit son souffle pour essayer de se calmer.) Tu dois accepter tes responsabilités : tu dois l'épouser.

10

– Je n'en peux plus, Meg, vraiment ! Je n'en peux plus ! s'écria Reggie, exaspérée.

Sa servante ignora cette plainte comme elle avait ignoré les précédentes.

– Tu vas dormir avec cette écharpe ?

Les mains de Reggie se posèrent sur sa gorge.

– Oui. Oncle Edward risque de monter d'un instant à l'autre pour me dire comment ça s'est passé. Je ne veux pas qu'il la voie.

Meg fronça les sourcils et reprit sa broderie. Elle avait vu la marque. Reggie ne pouvait rien lui cacher, en tout cas jamais bien longtemps. Toute cette histoire la révoltait et, pour une fois, elle était en complet accord avec Anthony Malory.

Le vicomte Eden de Montieth méritait une balle dans la peau. Au lieu de cela, on lui donnait la main de sa petite Regina, cette pure merveille qu'elle avait entourée de tout son amour. Meg n'avait jamais rien entendu d'aussi injuste. Comme si on offrait sa bourse au voleur en le remerciant de l'accepter. Comment pouvaient-ils abandonner sa précieuse Reggie à ce goujat ?

– Tu veux bien descendre les écouter, Meg ?

– Non.
– Alors j'y vais.
– Pas question. Tu ne bougeras pas d'ici. Continue à t'inquiéter si tu en as envie, mais crois-moi, tu ne tarderas pas à apprendre qu'il a dit oui.
– Tu te trompes. Il dira non. C'est bien là le problème.
Meg secoua la tête.
– Tu n'arriveras pas à me convaincre que tu veux l'épouser, ma fille. Alors inutile d'essayer.
– Mais c'est la vérité, Meg.
– Je te connais trop bien, Reggie. Tu fais semblant, pour rassurer tes oncles, parce que cela semble la seule solution.
– Sornettes, répliqua Reggie en riant, son sens de l'humour reprenant le dessus. Tu ne veux pas admettre que je suis assez perverse pour désirer un homme que je connais à peine.
Meg la contempla.
– Oh, je sais parfaitement ce que tu cherches. Tu t'es lancée là-dedans pour obtenir enfin un mari. Comme ça, tu n'auras plus à chercher. Admets-le, ma fille.
Reggie sourit.
– C'est un petit bonus, oui.
– Un bonus ! fit Meg, méprisante. C'est la seule raison pour laquelle tu le veux. Sûr et certain.
– Tu ne diras plus cela quand tu l'auras vu, Meg. Je crois que je suis amoureuse.
– Si je croyais cette fable, je descendrais lui embrasser les pieds. Mais tu es trop intelligente pour tomber amoureuse après une seule rencontre.
– Peut-être, soupira Reggie, les yeux brillants.

Mais ça ne me prendra pas longtemps, Meg. Attends et tu verras.

– J'espère ne jamais voir ça. J'espère ne jamais te voir mariée avec lui. Ce sera le jour le plus triste de ta vie.

– Bêtise, rétorqua Reggie.

– Souviens-toi simplement que je t'aurai prévenue.

– Je ne l'épouserai pas.

Anthony eut un sourire mauvais.

– Tant mieux. J'étais contre cette idée dès le départ.

– Arrête, Anthony ! pesta Edward. Rien n'est réglé.

– Je répète : je ne l'épouserai pas, fit Nicholas, gardant son calme à grand-peine.

– Voulez-vous être assez bon pour m'expliquer pourquoi ?

La voix d'Edward était une merveille de sérénité.

Nicholas dit la première chose qui lui passait par la tête :

– Elle mérite mieux.

– Tout à fait d'accord, approuva Anthony. Dans des circonstances normales, on n'aurait même pas songé à vous.

Edward lui lança un regard menaçant avant de se retourner vers Nicholas.

– Si vous faites référence à votre réputation, elle vous a précédé. Je suis le premier à la déplorer. Mais cela n'a rien de catastrophique.

– Je la rendrai malheureuse, ajouta Nicholas avec un peu plus de conviction.

– Pure conjecture. Vous ne connaissez pas

Regina pour savoir ce qui la rendra heureuse ou malheureuse.

– Tu cherches des échappatoires, vaurien, intervint Rebecca. Tu n'as aucune bonne raison de ne pas l'épouser et tu le sais. Il est d'ailleurs grand temps que tu te maries.

– Afin de vous donner un héritier ? ironisa-t-il.

– Voyons, Nicholas, reprit Edward. Vous ne pouvez nier avoir mêlé ma nièce à un scandale ?

– Votre nièce ?

– Qui diable pensais-tu qu'elle était ? fit Rebecca, exaspérée.

Soudain, Anthony ricana.

– Dites-moi, Montieth, vous espériez qu'elle était une fille illégitime ? Une pauvre parente dont on aurait voulu se débarrasser sur votre dos ?

– Ça suffit ! gronda Edward. Nicholas... Bon, il est possible que vous ignoriez qui était Regina. Peu de gens se souviennent de Melissa. Elle est morte il y a si longtemps.

– Melissa ?

– Notre unique sœur. Elle était bien plus jeune que Jason et moi. Pour nous... eh bien, il est inutile que je vous explique à quel point elle était chère à notre cœur : la seule fille au milieu de quatre garçons. Regina est son unique enfant.

– Elle est tout ce qui leur reste de Melissa, ajouta Rebecca. Commences-tu enfin à comprendre à quel point Regina est importante pour les frères Malory ?

Nicholas se sentait mal.

– Je dois préciser, à propos de la remarque de mon frère, que Regina est tout à fait légitime, poursuivit Edward. Melissa était mariée et heureuse avec le comte de Penwich.

– Penwich !

Nicholas s'étrangla en prononçant ce nom qu'il avait si souvent maudit.

– Le dernier comte, Thomas Ashton, expliqua Edward. Un obscur cousin détient le titre à présent. Un personnage déplaisant mais qui n'a aucune autorité sur Regina. Elle est sous notre protection depuis dix-sept ans, depuis que Melissa et Thomas ont trouvé la mort dans un terrible incendie.

Les idées se bousculaient dans l'esprit de Nicholas. Bon sang. Elle était cousine germaine de Derek, fille d'un comte, nièce du marquis de Haverston. Elle disposait sûrement d'un confortable héritage et aurait pu aisément prétendre à un époux de plus haut rang que lui. Aurait pu. Mais à présent, il avait lié son nom au sien. Aucune famille digne de ce nom ne voudrait d'une belle-fille à la réputation entachée d'un scandale. Toutes les personnes présentes dans cette pièce en étaient conscientes, y compris lui-même. Pourtant, il y aurait encore des hommes qui l'accepteraient, des hommes aux principes moins rigides.

C'est ce qu'il dit à Anthony :

– Vous ne semblez pas penser qu'elle ait perdu toute chance de faire un bon mariage, alors pourquoi vous rabattez-vous sur moi ?

– Ce n'est pas moi, mon cher. C'est elle qui vous veut.

Nicholas chercha une réplique cinglante.

– Et la petite nièce chérie obtient toujours ce qu'elle désire, c'est ça ?

Edward préféra intervenir :

– Si elle épouse quelqu'un d'autre, le pauvre garçon devra toujours vivre avec ce scandale. Ce scandale dont vous êtes responsable. C'est beaucoup demander à un homme et cela ne peut faire un mariage heureux.

Nicholas fronça les sourcils.

– Mais je ne l'ai pas compromise et son mari saura la vérité.

– La vérité ne compte pas quand c'est le mensonge que tout le monde colportera, répliqua sèchement Edward.

– Je suis donc l'otage de l'étroitesse d'esprit de mes contemporains ?

– Mais à quoi joues-tu, bon sang, Nicholas ? s'emporta Rebecca. J'ai vu cette jeune fille, c'est la créature la plus adorable qu'il m'ait été donné de rencontrer depuis très longtemps. Tu ne feras jamais meilleure union et tu le sais. Pourquoi résistes-tu ?

– Je ne veux pas me marier... jamais, dit Nicholas durement.

– Ce que tu veux n'a aucune importance, rétorqua sa grand-mère. Tu as compromis une innocente et, pour une fois, sa famille ne te laissera pas te dérober à tes responsabilités. Tu as une sacrée chance qu'ils t'offrent le mariage !

– Sois raisonnable, Nicholas, renchérit Eleanor. Il faudra bien que tu te maries un jour. Tu ne peux pas continuer ainsi toute ta vie. Et cette fille est charmante, belle. Elle sera une épouse merveilleuse.

– Pas la mienne.

Dans le silence qui suivit, Nicholas retrouva espoir mais sa grand-mère reprit la parole :

– Tu ne seras jamais l'homme que ton père a été. Tu pars deux ans sur les mers, tu reviens pour vivre comme un débauché, déléguant tes devoirs à d'autres. Seigneur, j'ai honte que tu sois mon petit-fils ! Et écoute-moi : tu feras aussi bien de m'oublier si tu ne te rachètes pas tout de suite en épousant cette fille. (Elle se dressa, le visage dur.) Viens, Ellie. J'ai dit tout ce que j'avais à dire.

La démarche décidée, les yeux de glace, elle quitta la pièce, Ellie sur ses talons. Mais dès que la porte se fut refermée derrière elles, elle se retourna vers Eleanor avec un large sourire de conspiratrice.

– Qu'en dis-tu ? Tu crois que ça va marcher ?

– Tu as un peu exagéré en disant que tu avais honte de lui. Tu sais que ce n'est pas vrai. Je te soupçonne même d'apprécier cette mésaventure.

– Cette mésaventure, comme tu l'appelles, est un don du Ciel. Mais je ne pensais pas qu'il résisterait autant.

– Vraiment ? s'étonna Eleanor. Tu sais pourquoi il ne veut pas se marier. Tu connais ses sentiments. Nicky refuse d'infliger le traumatisme de sa naissance à une femme de qualité. Il se juge indigne et tu le sais très bien.

Rebecca hocha la tête avec impatience.

– C'est pour cela que c'est un don du Ciel. Maintenant, il va être forcé de se marier, et avec une fille bien. Oh, ça ne le ravit sûrement pas, mais un jour il sera heureux. A mon avis, cette fille possède assez de cran pour accepter sa condition.

– Tu le crois vraiment ?

– Si je ne le croyais pas, je ne serais pas ici à essayer d'arranger ce mariage, déclara Rebecca avec force.

Contrairement à ce qu'imaginait Nicholas, elles connaissaient toutes les deux les raisons de sa conduite. Aux yeux du monde, Miriam était sa mère et le jour où elle mettrait un terme à cette mascarade – comme elle menaçait souvent de le faire –, ce jour-là serait le dernier où il vivrait dans la peur de la révélation. Il deviendrait alors un paria, ce paria qu'il cherchait à être pour s'habituer aux mauvais traitements qui s'abattraient sur lui si la vérité éclatait.

– Quelqu'un devrait lui dire que même si Miriam parlait, cela n'aurait aucune importance, reprit Rebecca. Personne ne la croirait, pas après toutes ces années.

– Pourquoi ne le lui dis-tu pas ? demanda Ellie, connaissant déjà la réponse.

– Ce n'est pas à moi de le faire.

Eleanor poussa un soupir déchirant.

– Je sais, Rebecca, nous en avons déjà parlé des centaines de fois. Oui, tu as peut-être raison. Le sort va peut-être enfin lui sourire. Il va prendre une épouse, s'installer et fonder une famille.

– Espérons-le. Mais il n'a pas encore dit oui.

– Votre attitude est tout à fait déconcertante, Nicholas, disait Edward. Si je ne savais pas avec certitude que vous êtes un coureur de jupons, je commencerais à en douter.

Cette remarque proférée par ce sage lord fit sourire Nicholas.

– Je suis effectivement porté sur les femmes, monsieur.

– Et pourtant, vous ne voulez pas de ma nièce ?

Anthony intervint avec dureté :

– Regardez-moi dans les yeux avant de répondre, Montieth, car j'ai vu la marque que vous avez laissée sur elle.

– De quoi s'agit-il ? demanda Edward, interloqué.

– Détends-toi, Eddie, c'est entre le vicomte et moi. Alors, quelle est votre réponse, Montieth ?

Nicholas bouillait de colère. Il se sentait pris au piège et il n'aimait pas du tout cela. Avait-il vraiment marqué Regina ? Si c'était vrai, pourquoi l'avait-elle révélé à son oncle ? Selon eux, c'était elle qui souhaitait l'épouser. Enfer ! avait-elle laissé entendre à son oncle que leur rencontre n'avait pas été tout à fait innocente ? Etait-ce pour cette raison qu'Anthony Malory désirait tant l'affronter en duel ?

– Votre nièce est parfaite, milord, fit Nicholas, ses yeux d'ambre brillants de colère. Mais vous le savez mieux que moi.

– Oui, il est indéniable qu'elle est ravissante et pourtant nous n'arrivons pas à nous mettre d'accord, soupira Edward. Jason ne va pas aimer ça. C'est son tuteur légal, vous comprenez.

– Jason va le mettre en pièces si les fiançailles ne sont pas annoncées avant son arrivée ici, annonça platement Anthony. Abandonne, Eddie, laisse-moi régler ce problème. Si Jason le touche, il n'en restera plus rien.

Nicholas se rassit et se prit la tête entre les mains tandis qu'ils continuaient à bavarder entre eux. Il aimait et respectait le père de Derek, Jason Malory. Il avait effectué de longs séjours à Haverston, chassant et discutant longuement avec lui au cours de soirées arrosées de cognac. Il admirait la façon dont Jason gérait Haverston et s'occupait de ses gens. Il ne tenait nullement à provoquer sa colère, mais il ne pouvait ni épouser cette fille, ni s'expliquer...

Jamais auparavant il n'avait éprouvé une telle amertume. Jamais il n'avait autant souffert de sa naissance. Il était un bâtard. Et celle qui deviendrait son épouse aurait, elle aussi, à souffrir de cette souillure. Si la vérité éclatait, il serait montré du doigt, rejeté de la société. Comme Derek Malory... dont personne n'ignorait la condition. C'était d'ailleurs pour cette raison qu'il s'était senti attiré par lui.

La voix d'Edward l'extirpa de ses pensées :

– Je doute que la situation financière de Regina vous impressionne, Nicholas, car les sages investissements de votre père et les vôtres ont fait de vous un jeune homme riche. Disons simplement qu'elle est très bien pourvue mais... ceci vous intéressera peut-être.

Nicholas accepta les feuilles de papier qu'il lui tendait. Des lettres. *Ses* lettres au comte de Penwich !

– Comment diable vous les êtes-vous procurées ?

– Elles m'ont été envoyées récemment. Le comte ne se soucie aucunement de tout ce qui n'a pas d'intérêt pour lui. Et ce bout de terre ne représente rien à ses yeux.

– Pourquoi vous ?

– Parce que ces terres font partie d'un lot que je gère. C'est un beau terrain, avec près de douze métayers qui paient leurs gages régulièrement.

– C'est en fait un immense terrain qui est loin d'être exploité à son maximum et vous le savez, rétorqua Nicholas.

– J'ignorais que vous étiez si attaché à la terre, remarqua Edward. Après tout, vous ne gérez pas Silverley.

Un muscle frémit sur la joue de Nicholas. Bon sang... Il aurait couru moins de risques à affronter à mains nues son vieil ennemi, le capitaine Hawke, que ces Malory.

– Dois-je comprendre que je ne posséderai jamais cette terre si je n'épouse pas votre nièce ?

– On pourrait le formuler de façon plus délicate mais la réponse est oui.

– Refusez, Montieth, intervint Anthony d'une voix douce. Et retrouvez-moi demain matin. Je ne vous tuerai pas. Je viserai bien plus bas que votre cœur. Ainsi, la prochaine fille que vous enlèverez au milieu de la nuit sera crue quand elle dira que vous ne l'avez pas touchée.

Nicholas éclata de rire. Voilà qu'il menaçait de le castrer maintenant. C'étaient donc là ses alternatives ? Il ne doutait pas que sa grand-mère le ferait jeter en prison. Il la connaissait trop bien pour savoir qu'elle mettait toujours ses menaces à exécution. A la vérité, il aimait cette vieille sorcière. Et s'il échappait à la prison, ce serait le duel contre Anthony, avec le risque d'être tué ou estropié.

Ou alors il pouvait épouser la plus délicieuse créature qu'il eût jamais vue... Il y gagnerait aussi ces terres qu'il désirait tant. Tante Ellie était pour ce mariage. Sa grand-mère et tous les Malory aussi.

Il ferma les yeux un bref instant. Tout tournait autour de lui. Il les rouvrit et se dressa avec décision.

– Milords, déclara-t-il d'un ton calme, quand doit-on célébrer les noces ?

11

– Tu l'accompagnes à Vauxhall Gardens ? Pour un concert ? Ben ça alors ! Tu prends ton rôle de fiancé drôlement au sérieux.

Derek Malory en riait, ce qui agaça prodigieusement Nicholas. Ils se trouvaient dans le salon d'Edward, dans cette même pièce où avait eu lieu cette infâme réunion, la veille. Il venait d'arriver.

– C'est apparemment le seul moyen de la voir. Ils ne m'ont pas laissé l'approcher hier soir.

– Bien sûr que non ! Ça n'aurait pas été correct. On lui avait ordonné d'aller se coucher.

– Tu veux dire qu'elle obéit aux ordres ? ironisa Nicholas. J'avais plutôt l'impression que c'était elle qui imposait ses quatre volontés à tout le monde.

– Oh-oh... tu es vraiment fâché. Je ne vois pas pourquoi. C'est du premier choix, tu sais, un vrai bijou. Tu n'aurais pas pu trouver mieux.

– J'aurais préféré choisir moi-même mon épouse.

Derek sourit.

– A ce qu'il paraît, ils ont eu du mal à te convaincre. Je n'en croyais pas mes oreilles quand ils ont dit que tu avais accepté. Te connaissant, ça m'étonne que tu aies abdiqué.

– Arrête tes radotages, Derek. Que fais-tu ici, au fait ?

– Je dois vous servir de chaperon. Cousine Clare et moi, on vous accompagne. Ordre d'oncle Edward. Tu ne pensais quand même pas sortir seul avec elle ? Faut éviter les problèmes avant le mariage.

Nicholas se renfrogna.

– Quelle différence cela ferait-il ? Il paraît que j'ai déjà couché avec elle.

– Personne ne croit ça, Nick, en tout cas personne dans cette famille.

– Sauf ton oncle Anthony.

– Je ne sais pas ce qu'il pense, celui-là. Mais tu ferais bien de faire attention. Ils sont très proches, Regina et lui.

– C'est sa nièce préférée ?

– C'est plus que ça. Tante Melissa et lui étaient inséparables. Quand elle est morte, il n'avait que dix-sept ans. Sa fille a en quelque sorte pris la place de Melissa dans son cœur. C'est pareil pour tous les oncles, y compris mon père. Mais oncle Anthony étant le plus jeune, il est presque comme un frère pour Regina. Tu n'imagines pas les disputes qu'il a eues avec mon père quand il a été en âge de s'installer seul à Londres. Il voulait avoir Regina chez lui une partie de l'année, comme oncle Edward. (Derek éclata de rire.) Le paternel a fini par céder parce qu'elle le souhaitait aussi : il ne sait rien lui refuser.

Nicholas grogna. En plus du reste, Regina avait été trop gâtée.

– Comment se fait-il que je ne l'aie jamais rencontrée à Haverston ?

– Elle était toujours chez oncle Edward ou oncle Anthony quand tu venais. Ils avaient droit à quatre mois chacun par an. (Derek poussa un cri de joie.) Tu l'as rencontrée, la première fois que tu es venu ! C'était l'espèce de garçon manqué qui t'a renversé un bol de pudding dessus parce que tu t'étais moqué d'elle.

– Mais tu l'avais appelé Reggie ! s'écria Nicholas.

– Tout le monde l'appelle Reggie. Tu te souviens d'elle ?

Nicholas gémit.

– Comment l'oublier ? Elle m'a tiré la langue quand j'ai menacé de lui donner une fessée.

– Oh, après ça, elle ne t'aimait plus du tout. Elle t'évitait soigneusement.

– Ce n'est pas ce qu'elle m'a dit, fit sèchement Nicholas. Elle a prétendu qu'elle m'aimait bien.

– Oh, elle t'aimait beaucoup à l'époque, j'en suis sûr. Mais c'était *avant* qu'elle te rencontre. Nous étions très liés, tu comprends, et elle aimait tous mes amis. J'en avais si peu.

– Bon sang. Bientôt tu vas me dire que vous jouiez tout le temps ensemble.

– Exactement, vieux frère. Je n'avais que six ans quand elle est arrivée à Haverston. J'admets que j'ai eu une mauvaise influence sur elle. Nous étions seuls tous les deux là-bas. Je l'entraînais partout. Bien sûr, mon père a piqué une crise quand il s'est aperçu qu'elle pêchait et chassait avec moi au lieu de faire sa couture, qu'elle grimpait aux arbres et construisait des forts dans les bois plutôt que de s'intéresser à sa musique. Tu sais qu'il s'est marié uniquement dans l'espoir de nous donner une mère ? Il espérait que cela nous ferait du bien. Mais il n'a pas eu de chance. Oh, on aime maman, mais elle est toujours malade. Elle a passé plus de temps en cure à Bath qu'avec nous à Haverston.

– Alors je vais épouser un garçon manqué ?

– Ciel, non ! Depuis treize ans, elle passe une bonne partie de son temps chez l'oncle Edward et il a trois filles. Ici, elle s'est mise aux études, et brillamment. Elle a aussi appris à tenir une maison et tout ça. Bien sûr, on a continué à rigoler ensemble quand elle venait à Haverston. Je ne sais plus combien de fois on s'est fait tirer les oreilles par mon paternel. En fait, c'était toujours moi qui écopais, jamais elle. Quand elle a eu quatorze ans, elle s'est mise tout à coup à ressembler à une fille. Et quelle fille ! Et puis elle a commencé à tenir la maison, parce que notre mère n'était jamais là.

– Bon, alors elle dirigeait la maison chez vous, elle étudiait ici... j'aimerais bien savoir ce qu'elle a appris chez le troisième oncle ?

Derek rit de plus belle.

– Chez l'oncle Anthony, c'était plutôt des vacances pour elle. Il faisait de son mieux pour la distraire. Et il lui a probablement appris à se méfier des types comme nous. (Il se fit soudain plus grave.) Ils l'aiment tous énormément, Nick. C'est comme ça, et tu ne peux rien y faire.

– Je devrai donc supporter la curiosité de ses oncles toute ma vie ? demanda froidement Nicholas.

– Ça ne sera pas si terrible. Après tout, tu l'auras pour toi tout seul, à Silverley.

L'idée était agréable mais ne se réaliserait jamais. Nicholas avait cédé à leur pression, mais il n'avait nullement l'intention d'épouser Regina Ashton. D'une manière ou d'une autre, il la pousserait à briser leurs fiançailles. Son cousin était peut-être un bâtard mais il n'était pas question que son mari en fût un aussi.

Derek, à vingt-trois ans, était plus chanceux que Nicholas car il avait toujours vécu en connaissant ses origines. Nicholas n'avait appris la vérité qu'à l'âge de dix ans. Avant cette révélation, la femme qu'il croyait être sa mère avait fait de sa vie un enfer, simplement parce qu'il la prenait pour sa mère. Il n'avait jamais compris pourquoi elle le haïssait, le traitait plus mal encore que le dernier des domestiques, le réprimandant perpétuellement, pourrissant ses journées et ses nuits. Elle n'avait jamais fait semblant de l'aimer, même en présence de son père. C'était une existence terrible pour un enfant.

Un jour, il l'avait innocemment appelée « mère » – ce qu'il faisait rarement – et elle s'était soudain mise à hurler :

– Je ne suis pas ta mère ! Ça me rend malade de faire encore semblant. Ta mère était une putain qui essayait de prendre ma place... une putain !

Son père était présent, le pauvre homme. Il ne se doutait pas que rien n'aurait pu faire davantage plaisir à son fils que d'apprendre que Miriam n'était pas sa mère. Bien plus tard cependant, Nicholas comprit avec quelle cruauté le monde traitait les bâtards.

Son père dut lui avouer la vérité ce jour-là. Miriam avait fait plusieurs fausses couches au cours de leurs quatre premières années de mariage. Le docteur avait fini par leur dire qu'il en serait sans doute toujours ainsi. Leur union n'y avait pas résisté. Charles n'ajouta aucune précision mais Nicholas devina que Miriam avait développé une forte aversion pour le lit conjugal. Son époux avait alors trouvé du réconfort ailleurs.

Misérable, Charles expliqua que sa vraie mère était une lady, une femme au grand cœur qui l'avait toujours aimé. Par une nuit d'ivresse, il avait profité de cette affection : la seule fois où lui et elle s'étaient autorisé cette liberté. Nicholas avait été conçu cette nuit-là. Il était impensable qu'elle gardât le bébé : elle était célibataire. Mais Charles voulait l'enfant, il le voulait plus que tout au monde. Miriam avait accepté de partir avec la femme jusqu'à la naissance. A son retour, tout le monde avait cru que l'enfant était le sien.

Nicholas comprenait l'amertume et le ressentiment de Miriam, mais comprendre ne lui rendait pas la vie plus facile. Il la supporta pendant encore douze ans, jusqu'à la mort de son père. Puis il quitta l'Angleterre, à vingt-deux ans, avec l'intention de ne jamais y remettre les pieds. Sa grand-mère lui reprochait encore aujourd'hui cette disparition qui avait duré deux années. Mais il avait aimé cette vie mouvementée sur ses propres navires, traversant une aventure après l'autre et participant même à quelques batailles navales. Il était finalement revenu, mais pas à Silverley. Vivre avec Miriam, avec sa haine et ses menaces perpétuelles, était au-dessus de ses forces.

Il ne craignait pas la vérité, ni les conséquences qu'elle aurait sur sa vie. Il s'y était préparé avec une application obstinée. Mais son père avait toujours lutté, parfois douloureusement, pour que ce secret de famille ne fût pas divulgué. Nicholas avait respecté son vœu.

Il était pourtant hors de question de faire confiance à Miriam. Elle finirait bien par parler. Pour cette raison, il n'avait pas le droit d'épouser une jeune femme de qualité qui deviendrait une paria si Miriam choisissait de le trahir.

Non, Regina Ashton n'était pas pour lui. Il aurait donné n'importe quoi pour la posséder, il le reconnaissait volontiers. Mais il aurait donné aussi n'importe quoi pour ne pas l'épouser, pour ne pas risquer de lui faire connaître cette horreur. Il trouverait un moyen d'éviter ce mariage.

12

– Je suis navrée de vous avoir fait attendre, milord.

Nicholas fit volte-face. Un frisson le secoua. Il avait oublié à quel point elle était ravissante. Hésitante, elle restait sur le pas de la porte, un peu craintive. Sa cousine Clare se tenait derrière elle. Grande et blonde comme la plupart des Malory, elle était assez jolie mais semblait fade à côté de la splendide Regina.

Une fois de plus, il fut choqué de réagir instantanément à sa vue. C'était infernal. Ou il rompait ces fiançailles très vite ou alors il couchait avec elle.

Elle n'avait toujours pas fait un pas.

– Entrez, dit-il, je ne vous mordrai pas, chérie.

Ce dernier mot la fit rougir.

– Vous n'avez pas encore rencontré ma cousine Clare, fit-elle en avançant lentement.

Il s'inclina devant Clare avant de se tourner à nouveau vers Regina.

– Derek vient de me rafraîchir la mémoire. Vous auriez dû me dire que nous nous étions déjà rencontrés.

– Je ne pensais pas que vous vous en souveniez, murmura-t-elle, embarrassée.

– Comment oublier tout ce pudding dégoulinant sur mon pantalon ? fit-il, faussement étonné.

Elle sourit malgré sa nervosité.

– Je ne dirais pas que je regrette. Vous l'aviez mérité.

Voyant l'étincelle dans ses yeux cobalt, il réprima un juron : comment allait-il lui faire croire qu'il ne voulait pas d'elle ? Elle le ravissait de toutes les manières. Sa simple vue le bouleversait. Il était pris d'une irrésistible envie de l'embrasser, de goûter la douceur de ses lèvres, de sentir la veine sur sa gorge. Bon sang, elle était beaucoup trop désirable !

– Allons-y, les enfants, plaisanta Derek. C'est un bel après-midi pour un concert. Bigre, c'est vrai : je suis en train d'aller à un concert... et comme chaperon, en plus.

Il se dirigea vers la porte en secouant comiquement la tête.

Nicholas aurait bien voulu échanger quelques mots en privé avec Regina, mais la cousine Clare ne l'entendait visiblement pas de cette oreille : son regard critique ne les lâchait pas. Il soupira. Il trouverait bien un moment avec la complicité de Derek un peu plus tard.

Regina parut d'excellente humeur durant le trajet jusqu'à Vauxhall Gardens, bavardant gaiement de tout et de rien avec ses cousins. Etait-elle nerveuse ou vraiment heureuse ? Il se régalait à l'observer. Etait-elle contente de ce mariage ? Pourquoi avait-elle insisté auprès de ses oncles ? Pourquoi l'avoir choisi, lui ?

L'attitude de Nicholas stupéfiait Regina. Il se

montrait aimable, voire amical. Après avoir appris avec quelles réticences il avait finalement cédé, elle s'attendait à de l'amertume ou même à de la colère de sa part. D'ailleurs, pourquoi avait-il accepté ? Pour le domaine ? Ce n'était guère flatteur de savoir qu'il avait fallu mettre ces terres dans la balance pour le convaincre. Tony disait qu'il avait été acheté – mais Tony n'avait pas vu comment Nicholas Eden la regardait.

Il la désirait : ses yeux d'ambre le disaient clairement. Vraiment, il aurait dû avoir honte de la dévisager ainsi, et devant ses cousins en plus. Clare était visiblement choquée tandis que Derek riait sous cape. Mais Nicholas ne semblait pas conscient de ce qu'il faisait. Ou bien agissait-il ainsi intentionnellement, pour la gêner ? Son amabilité était-elle feinte ? Son désir n'avait rien de feint, en tout cas. De cela au moins, elle était certaine.

Ils laissèrent la voiture et déambulèrent dans une allée fleurie. La musique enflait à mesure qu'ils approchaient d'un immense kiosque où avait pris place un orchestre. Nicholas adressa plusieurs coups d'œil appuyés à Derek jusqu'à ce que le jeune homme comprît le message : prenant Clare par la main, il l'entraîna vers l'un des marchands ambulants qui vendaient des friandises. Reggie éclata de rire en voyant sa cousine tenter en vain de résister.

Aussitôt, Nicholas la poussa hors de l'allée derrière un grand arbre. Ici, malgré quelques promeneurs, ils pouvaient discuter sans être dérangés.

Il la coinça contre l'arbre, lui bloquant toute issue entre ses deux bras. Captive, elle était obligée de l'écouter. Patiemment, elle le dévisageait et il pensa : *Hais-moi, méprise-moi, ne m'épouse pas.*

C'était tout ce qu'il voulait lui dire... mais il se perdit dans ses yeux.

Sans même se rendre compte de ce qu'il faisait, ses lèvres se posèrent sur les siennes. Elles étaient d'une douceur... Un feu divin l'embrasa et il s'y abandonna, la serrant contre lui. Et pourtant cela ne suffisait pas, il avait besoin d'être encore plus près d'elle. Plus près...

– Lord Montieth, s'il vous plaît, souffla-t-elle. On peut nous voir.

Il s'écarta à peine, juste assez pour contempler son visage.

– Ne soyez pas aussi formelle, chérie. Vous êtes autorisée à m'appeler par mon nom, vous ne pensez pas ?

Y avait-il de l'amertume dans sa voix ?

– Vous ne... Pourquoi avez-vous accepté de m'épouser ?

– Pourquoi vouliez-vous que je vous épouse ? riposta-t-il.

– Cela semblait la seule solution.

– Vous auriez pu mentir et nous épargner cela.

– Mentir... ? Pourquoi l'aurais-je fait ? Je vous avais prévenu de ce qui nous arriverait si nous étions découverts.

– Vous plaisantiez ! lui rappela-t-il durement.

– C'est vrai... parce que je ne pensais pas que cela arriverait. Oh, je ne veux pas me disputer avec vous. Ce qui est fait est fait.

– Non, répliqua-t-il sèchement. Vous pouvez briser ces fiançailles.

– Pourquoi ferais-je une chose pareille ?

– Parce que vous ne voulez pas m'épouser, Regina, dit-il d'une voix douce, menaçante. Vous ne le voulez pas. (Puis il sourit tendrement, la caressant du regard.) Vous préférez plutôt être ma maîtresse.

– Seulement pour quelque temps, milord ?

– Oui.

– Et puis nous repartirions chacun de notre côté ?

– Oui.

– Il n'en est pas question.

– Je vous aurai, vous le savez.

– Après notre mariage, oui.

– Nous ne nous marierons pas, chérie. Vous retrouverez votre bon sens bien avant la cérémonie. Mais je vous aurai quand même. Vous savez que c'est inévitable, n'est-ce pas ?

– Vous paraissez le croire.

Il éclata de rire, mais son rire s'arrêta net quand il reconnut la voix qui s'éleva derrière lui :

– Je ne regrette pas de vous interrompre, Montieth. J'arrive au bon moment.

Nicholas se raidit. Reggie lança un regard pardessus son épaule pour découvrir oncle Tony avec une dame à son bras. Oh non ! Pas elle ! Pas Lady Eddington !

– Toi à Vauxhall, Tony ? (Elle feignait l'incrédulité.) Depuis quand aimes-tu la musique ?

– Epargne-moi tes moqueries, mon chou. J'ai entendu monts et merveilles à propos de cet opéra.

Elle retint son souffle tandis que Nicholas toisait sa maîtresse qui semblait confuse et furieuse. Reggie la plaignait presque mais elle n'avait guère envie de lui témoigner sa sympathie. Après tout, Selena avait jeté son nom en pâture aux commères.

– Bonjour, Lady Eddington, dit-elle avec une

douceur affectée. Merci encore de m'avoir prêté votre cabriolet l'autre nuit.

Anthony se racla bruyamment la gorge et Nicholas ricana.

– Je dois, moi aussi, te remercier, Selena. Sans toi, je n'aurais jamais rencontré ma future épouse.

Une myriade d'émotions passèrent sur le visage de Lady Eddington... et aucune ne semblait très plaisante. Elle se traitait de tous les noms. Elle avait été si ravie d'apprendre la mésaventure de Nicholas qu'elle s'était empressée de raconter à toutes ses amies à quel point son amant était romantique... Son bavardage avait provoqué un véritable désastre.

– Allez au concert, déclara Anthony avec fermeté. Je ne tiens pas à vous chaperonner moi-même mais je vais avoir une petite discussion avec mon étourdi de neveu. Derek n'aurait jamais dû vous laisser seuls. Etre fiancés ne vous autorise pas à mal vous conduire, ne l'oubliez pas.

Là-dessus il les quitta, entraînant Lady Eddington en lui chuchotant quelque chose à l'oreille, la décourageant sans doute de faire une scène. Nicholas serrait les dents.

– Sans cette idiote à la langue trop bien pendue... commença-t-il avec colère.

– Vous ne m'épouseriez pas, conclut Reggie.

– Et vous seriez ma maîtresse au lieu d'être ma femme. Un arrangement nettement plus intéressant.

– Pas pour moi.

– Vous êtes bien certaine de ne pas succomber ?

– Je ne sais pas, je ne sais vraiment pas, répondit-elle avec une sincérité désarmante.

Il y avait de la tristesse dans cet aveu et il en conçut aussitôt du remords.

– Je suis désolé, dit-il gentiment. Je ne devrais pas vous poursuivre ainsi, mais simplement vous dire que je ne veux pas vous épouser.

Elle le fixa droit dans les yeux.

– Et je devrais vous être reconnaissante de votre honnêteté ?

– Allons ! Ne le prenez pas comme une insulte. Cela n'a rien à voir avec vous !

– Au contraire, cela a tout à voir avec moi, milord, répliqua-t-elle furieuse. Vous avez lié mon nom au vôtre, que vous le vouliez ou non. C'est *vous* qui avez déclenché ceci, pas moi. Et vous avez aussi accepté de m'épouser. Vous y avez peut-être été contraint mais, si vous n'aviez pas l'intention d'honorer votre parole, vous n'auriez pas dû vous montrer avec moi aujourd'hui. Cette apparition publique me lie encore plus fortement à vous. J'ai bien peur d'être forcée de vous supporter désormais, que cela me plaise ou non. Et je commence à croire que cela ne me plaît pas du tout.

Sans lui donner le temps de réagir, elle le planta là.

Nicholas ne bougea pas. Il s'était senti ridiculement heureux en l'entendant dire qu'elle était forcée de le supporter désormais... et ridiculement blessé quand elle avait dit que cela ne lui plaisait pas. Quel imbécile ! Ces sentiments étaient déplacés. Ils n'avaient rien à faire ensemble, il ne devait pas l'oublier.

13

– Oncle Jason !

Reggie se lança dans les bras de son oncle. Jason Malory, troisième marquis de Haverston, était un homme de grande taille, comme tous les Malory.

– Tu m'as manqué, ma fille. Haverston n'est pas le même sans toi.

Elle lui sourit chaleureusement.

– Tu dis cela à chaque fois. En fait, je voulais rentrer à la maison... avant toute cette histoire. Et je le veux encore.

Ses deux autres oncles, Edward et Tony, se trouvaient eux aussi dans le salon.

– Et abandonner ton fiancé à Londres ?

– J'ai l'impression que cela ne lui ferait ni chaud ni froid, répondit-elle doucement.

Il la conduisit vers le divan crème où était assis Anthony. Edward, quant à lui, était posté près de la cheminée. A l'évidence, ils avaient tenu un véritable conseil de famille avant son arrivée.

– Je suis content de pouvoir te parler un peu, annonça Jason.

Reggie haussa les épaules.

– Tu vas me faire des reproches, toi aussi ?

Très solennel, Jason prit un siège.

– Pas à toi. Je tiens à dire que je ne suis pas ravi de voir cette affaire réglée si précipitamment. Vous auriez pu m'attendre. Mes frères ont pris d'énormes responsabilités.

– Nous n'avions pas le choix, se défendit Edward.

– Quelques jours de plus ou de moins n'auraient fait aucune différence, répliqua Jason.

– Tu veux dire que tu ne donneras pas ton consentement, alors que les fiançailles ont été annoncées ? s'exclama Reggie en fronçant les sourcils.

Anthony ricana.

– Je t'avais prévenu, Jason. Elle a vraiment jeté son dévolu sur cette canaille et tu ne pourras rien y changer.

– Est-ce vrai, Reggie ?

Cela avait été vrai, oui, mais... elle n'en était plus aussi sûre maintenant. Elle savait que Nicholas la désirait toujours. Il avait été parfaitement clair là-dessus. Et pour être honnête, elle le désirait elle aussi. Mais le mariage ?

– Il me plaît beaucoup, oncle Jason, mais... j'ai peur qu'il ne tienne pas réellement à m'épouser.

Voilà. C'était dit. Pourquoi cela la rendait-elle aussi malheureuse ?

– Il paraît qu'il n'a pas accepté de gaieté de cœur, reprit gentiment Jason. Ce n'est pas étonnant. Personne n'a envie de faire quelque chose contre son gré.

Elle retrouva espoir. Et si c'était là la raison de la conduite de Nicholas ?

– J'oublie que tu le connais mieux que nous tous.

– Oui, et j'ai beaucoup d'estime pour lui. C'est

un garçon secret. Il en cache beaucoup plus qu'il n'en montre.

– Epargne-nous tes considérations, fit Anthony, sardonique.

– Il fera un très bon mari, Tony, que tu le croies ou non.

– Tu le penses vraiment, oncle Jason ? demanda Reggie.

– J'en suis sûr, déclara-t-il fermement.

– Alors tu approuves mon mariage avec lui ?

– J'aurais préféré te voir mariée dans des circonstances normales mais, les choses étant ce qu'elles sont, je ne suis pas déçu que l'élu soit Nicholas Eden.

Reggie éprouva une joie insensée mais, avant qu'elle pût l'exprimer, ses cousins se mirent à déferler dans la pièce. Ils étaient tous invités chez les Hamilton, ce soir. Jason fut joyeusement salué par ses neveux et nièces. Nicholas arriva au milieu de toute cette agitation. Il resta sur le seuil. Pendant un instant, personne ne le remarqua. La panique le saisissait devant cette grande famille. Il allait devoir vivre avec cette flopée de parents ? Dieu le protège...

Reggie le rejoignit la première. Il lui sourit, déterminé à ne pas se laisser gouverner par ses émotions cette fois-ci. Elle était resplendissante dans cette robe crème qui soulignait son teint d'albâtre. Le style en était inhabituel, car alors que la plupart des élégantes de Londres faisaient de leur mieux pour exposer leur poitrine, cette robe cachait la sienne sous de la gaze ornée d'un large ruban de dentelle. Ce détail amusa Nicholas : elle avait trouvé ce moyen habile pour dissimuler cette fameuse marque qu'il avait paraît-il laissée sur elle.

– Nicholas ? demanda-t-elle, curieuse de connaître ses pensées.

– Vous avez donc décidé d'oublier les formalités ? dit-il doucement. Je me demandais si vous alliez m'adresser la parole aujourd'hui.

– Allons-nous encore nous disputer ?

Elle semblait accablée.

– Enterrez cette idée, chérie.

Elle rougit poliment. Pourquoi persistait-il à l'appeler ainsi ? Ce n'était pas correct et il le savait.

Le marquis salua chaleureusement Nicholas sans faire la moindre allusion au triste incident qui avait provoqué ces fiançailles.

Le trajet jusqu'à la maison de campagne des Hamilton, à quelques lieues de Londres, se déroula agréablement. La jeune Amy, tout excitée, se chargeait de la conversation car elle avait rarement la permission de sortir.

Restait à savoir quel accueil allaient recevoir les fiancés. Nicholas et Regina étaient devenus le principal sujet de conversation dans le monde.

La soirée ne réunissait pas énormément d'invités : à peine une centaine. La demeure était immense et il y avait donc largement assez de place pour tous. Les convives se réunissaient autour des plats disposés sur de longues tables, dansaient dans un salon vidé à cet effet ou bien bavardaient par petits groupes ici ou là. Nicholas et Regina furent l'objet de quelques regards appuyés, mais rien de bien gênant finalement.

En fait, la rumeur prétendait que le mariage était prévu de longue date. Le vicomte s'était simplement un peu amusé avec Selena en attendant le retour de Regina. Ils se sont rencontrés sur le continent, vous savez. Non, non, ma chère, ils se sont rencontrés à Haverston, chez le marquis. Le fils du marquis et Nicholas sont intimes depuis des années...

– Entendez-vous ce qu'on raconte, chérie ? demanda Nicholas lors de leur première valse. Ils nous ont fiancés depuis le berceau.

Ses cousines avaient rapporté à Regina certaines de ces spéculations.

– Ne le répétez pas, répondit-elle, malicieuse. Tous mes autres prétendants vont être catastrophés en apprenant qu'ils n'ont jamais eu aucune chance.

– Vos autres prétendants ?

– La dizaine de douzaines qui ont demandé ma main.

Quelques coupes de champagne l'avaient rendue espiègle.

– J'espère que vous exagérez, fit-il, irrité.

– J'aimerais bien, soupira-t-elle, consciente de son changement d'humeur. C'était exténuant, vous savez, de devoir faire un choix parmi une telle foule. J'étais prête à abandonner... et vous êtes arrivé.

– Quelle chance pour moi.

Nicholas était furieux. Il était furieusement jaloux et il ne s'en rendait pas compte. Sans ajouter un seul mot, il gagna le bord de la piste de danse où il abandonna Reggie à Marshall et Amy. Il s'inclina brièvement avant de s'éloigner. Dans la salle de jeu, il trouverait un remède à sa colère plus puissant que le champagne : on y servait du cognac.

Reggie en resta ébahie. Il plaisantait avec elle à propos des derniers potins, il lui adressait de grands sourires, il la couvait de son regard sensuel... et puis soudain il s'énervait sans raison. Cet homme était vraiment déroutant.

Elle sourit, bien décidée à ne pas se laisser gâcher sa bonne humeur. On l'invita à danser encore et encore. Ce fut pour elle l'occasion de retrouver les jeunes hommes qu'elle avait connus la saison précédente. Basil Elliot et George Fowler, deux admirateurs obstinés, lui assurèrent tragiquement que la bonne fortune du vicomte avait mis un terme à leur vie. Ils jurèrent tous deux de l'aimer à jamais. Reggie en fut amusée et flattée, car aussi bien George que Basil connaissaient un énorme succès. Leurs prévenances lui firent oublier l'impolitesse de Nicholas.

Il était près de 2 heures du matin quand l'énigmatique Lord Montieth se décida à la rejoindre. Elle ne l'avait pas aperçu une seule fois depuis leur valse, mais lui l'avait vue. Posté à la porte de la salle de jeu, il l'avait observée, riant et dansant avec ses partenaires ou bien encerclée par une véritable cour de prétendants. Ce spectacle l'avait littéralement assoiffé. Il était à présent à la limite de l'ivresse...

– Une danse, chérie ?

– Est-ce que nous finirons celle-ci ? répliqua-t-elle.

Il ne répondit pas. Il n'attendit pas non plus son consentement mais referma la main sur sa taille et l'entraîna sur la piste. C'était encore une valse et il la serrait de beaucoup trop près cette fois-ci.

– Vous ai-je déjà dit ce soir que je vous désire ? déclara-t-il subitement.

Elle s'était rendu compte qu'il y avait quelque chose de changé en lui, mais ce fut simplement quand il se pencha qu'elle sentit le cognac. Cela ne l'inquiéta guère. Quelqu'un qui dansait aussi gracieusement ne pouvait être ivre.

– Je préférerais que vous vous absteniez de me dire des choses pareilles, Nicholas.

– Nicholas, répéta-t-il. Gentil à vous de m'appeler par mon prénom, chérie. Après tout, tout le monde ici pense que nous sommes déjà amants. Cela paraîtrait un peu bizarre si vous me donniez du Lord Montieth.

– Si vous ne voulez pas...

– Je n'ai pas dit cela, la coupa-t-il. Mais quelque chose comme « mon chéri » ou bien « mon amour » me plairait encore davantage. J'imagine que vous devez m'aimer puisque vous souhaitez m'épouser. Quant à moi, si je ne veux pas vous épouser, j'ai envie de vous, chérie. Soyez-en sûre.

– Nicholas...

– Je ne pense qu'à cela, poursuivit-il. On m'a déclaré coupable mais je n'ai encore eu la joie de perpétrer mon crime. C'est vraiment injuste, vous ne trouvez pas ?

– Nicholas...

– Mon amour, corrigea-t-il avant de changer de sujet. Allons prendre un peu l'air.

Sans lui laisser le choix, il l'entraîna dehors. Les jardins étaient magnifiques : pelouses doucement vallonnées garnies d'arbres rares, d'étangs artificiels, de parterres de fleurs. Ils traversèrent un bosquet et se retrouvèrent devant un petit kiosque couvert d'une vigne tellement épaisse qu'on aurait dit un gros arbre.

Ils ne s'arrêtèrent pas pour admirer cette

beauté. En un clin d'œil, Reggie se retrouva sous la tonnelle, dans les bras de Nicholas qui l'embrassait si furieusement qu'elle crut s'évanouir.

La lumière de la lune glissait le long des feuillages, les baignant d'un flot d'argent. De larges banquettes capitonnées garnissaient chaque paroi de treille. Le parquet de bois était brillamment poli. Des plantes en pots lançaient leurs feuilles dans l'air de la nuit entre chaque banquette.

Au fond d'elle-même, Reggie sentait que Nicholas ne se contenterait pas de quelques baisers, pas cette fois-ci. C'était à elle de l'arrêter. Mais une petite voix têtue lui murmurait : pourquoi l'arrêter ?

Il allait être son mari, n'est-ce pas ? Pourquoi lui refuser quoi que ce fût... D'autant plus qu'elle ne voulait rien lui refuser. Et puis, son attitude envers leur mariage changerait peut-être s'ils... Eh bien, pourquoi pas ?

Son esprit et son corps conspiraient contre Reggie, et bientôt il ne subsista aucune réticence en elle. Acceptant sa défaite, elle enlaça Nicholas.

Il la porta jusqu'à une banquette et s'assit, la jeune femme blottie sur ses genoux.

– Vous ne le regretterez pas, chérie, chuchota-t-il avant de s'emparer de sa bouche.

Regretter ? Comment pourrait-elle regretter ce qui la rendait si excitée et si heureuse ?

La main de Nicholas glissa lentement le long de sa gorge, puis plus bas. Elle sursauta quand il effleura un sein. La main poursuivit son chemin, sur son ventre, sur sa hanche. Il hésitait à la toucher comme s'il ne croyait pas encore en sa chance. Mais à mesure que sa main remontait vers sa poitrine, il devint plus audacieux, plus possessif.

Sous la soie de la robe, la peau lui brûlait. D'une certaine manière, cette barrière de tissu la gênait. Nicholas était bien de cet avis. Ses doigts firent céder le premier bouton sous son cou, puis ce fut au tour du ruban. L'instant d'après, ils étaient debout et il fit glisser la robe à terre.

Nicholas ne put retenir une exclamation étouffée en voyant Regina dans ses dessous de soie qui moulaient si délicatement ses formes. Elle lui rendait son regard, nullement gênée ou honteuse. L'incendie qui faisait rage en lui repartit de plus belle tandis qu'il la contemplait. Ses yeux étaient noirs dans la semi-obscurité, ses jeunes seins se pressaient contre sa fine chemise de dentelle. Elle était la plus belle créature de l'univers.

– Tu as peur, n'est-ce pas ?

Elle sursauta, autant à cause de ce tutoiement inattendu que pour ce qu'impliquait cette question.

– Non... enfin, je ne crois pas.

– Alors laisse-moi te voir entièrement.

Elle le laissa approcher et il acheva lentement de la déshabiller. Ses yeux exploraient chaque millimètre de peau découverte. Puis elle fut nue. Affamé, il l'attira contre lui pour embrasser ses seins. Sa langue, ses dents, ses lèvres se mirent à jouer en même temps, la faisant gémir. Elle serra sa tête dans ses bras, le pressant contre elle. Puis elle se rejeta en arrière quand il commença à embrasser son ventre. Seigneur Dieu, elle ne supporterait pas cela longtemps...

– Vous ne devriez pas... Nicholas... vos... tes vêtements... Nicholas.

En quelques secondes, il fut torse nu et Reggie roula de grands yeux stupéfaits. Elle savait qu'il avait de larges épaules, mais à présent elles lui semblaient gigantesques. Sa peau était bronzée et son torse recouvert d'une douce toison dorée.

Elle posa les doigts sur les muscles de ses avant-bras. Ce simple contact le fit tressaillir.

– Le reste, maintenant, supplia-t-elle avec douceur, voulant le voir comme il l'avait vue.

Elle s'écarta et s'assit sur la banquette pour le contempler tandis qu'il se déshabillait. Elle n'éprouvait aucune gêne, bien au contraire. Ce spectacle la comblait : un homme dans toute sa splendeur...

Quand il fut entièrement nu, elle alla jusqu'à lui et le toucha, d'abord la hanche si mince, puis la cuisse si épaisse et si longue. Il lui saisit la main, l'arrêtant.

– Non, chérie, fit-il d'une voix méconnaissable. Je suis au bord de l'explosion et nous avons encore un long chemin à faire.

C'est alors qu'elle vit ce qui allait exploser. Incroyable. Beau. Extraordinaire.

Lentement, elle leva les yeux vers lui.

– Comment apprendrai-je ce qui te plaît si je ne peux te toucher ?

Il lui prit le visage entre les mains.

– Plus tard, chérie. Cette fois-ci, mon plaisir sera de te faire plaisir. Mais d'abord, je dois te faire mal.

– Je sais, dit-elle doucement, timidement. Tante Charlotte me l'a expliqué.

– Mais si tu me fais confiance, Regina... si tu te détends et si tu me fais confiance... je te préparerai. Ce ne sera qu'une petite douleur et je te promets que tu aimeras ce qui viendra ensuite.

– J'ai aimé ce qu'il y a eu avant.

Elle lui souriait.

– Ô mon doux amour, moi aussi... moi aussi.

Il l'embrassa avec une passion dévorante. Il était sur le point de perdre tout contrôle de lui-même. La façon dont elle s'offrait à lui le rendait fou, l'obligeait à se battre contre lui-même. Il caressa son ventre, puis ses doigts glissèrent plus bas entre ses cuisses écartées.

Elle gémit quand il toucha la partie la plus intime de son être. Il s'y attarda longuement, la torturant délicieusement. Puis elle tressaillit quand il enfonça un doigt en elle. Son dos s'arqua, ses seins s'écrasèrent contre la poitrine de Nicholas. Elle arracha ses lèvres aux siennes.

– Je suis... prête, Nicholas. Je te le jure.

– Pas encore, chérie.

– S'il te plaît, Nicholas, fit-elle dans un murmure étranglé.

Il ne put résister davantage. Il jeta un coup d'œil vers la banquette et se maudit : jamais il n'aurait dû l'amener ici, pas pour sa première fois.

– Nicholas ! le supplia-t-elle passionnément.

Il la coucha sur la banquette aussi gentiment que possible puis se plaça au-dessus d'elle. Il se glissa en elle avec toute la délicatesse dont il était capable. Il entendit son cri en sentant sa chaleur se refermer autour de lui. Ce fut elle qui se poussa en avant jusqu'à ce qu'il atteignît le fragile rempart de sa virginité. Il n'avait plus le choix : le moment de la douleur était venu.

Il posa sa bouche sur la sienne puis, sans attendre davantage, poussa violemment. Il la tint ainsi quelques instants sans bouger.

Bientôt, il sentit que ses ongles ne lui déchiraient plus les épaules, puis elle soupira à nouveau de plaisir, se détendant contre lui.

– Nicholas ?

Son nom ne lui avait jamais paru aussi doux. Soulagé, il sourit et se remit à la caresser tout doucement. Ce fut elle qui accéléra le rythme, s'accrochant à lui de toutes ses forces.

Mille feux brûlaient en elle pour ne former bientôt qu'une seule et gigantesque flamme qui ne pouvait plus être contenue. Un bonheur foudroyant l'emporta.

Nicholas n'avait jamais été aussi comblé. Il n'avait jamais non plus éprouvé une telle tendresse après l'amour. Il voulait tenir Regina dans ses bras pour toujours, ne jamais la laisser échapper.

– Etait-ce... normal ? demanda-t-elle d'une voix rêveuse.

Il éclata de rire.

– Tu voulais que ce soit simplement normal ?

– Non, je suppose que non. (Elle leva la tête posée sur sa poitrine et soupira.) Il va falloir rentrer.

– Oh, bon sang ! grommela-t-il. Tu as raison.

Elle le scruta longuement, rayonnante d'amour et de désir.

– Nicholas ?

– Oui, mon amour ?

– Tu crois qu'ils vont deviner, que cela va se voir ?

En vérité, cela lui était complètement égal, mais elle avait l'impression qu'elle devait le lui demander.

Nicholas sourit.

– Personne n'oserait suggérer que nous nous sommes aimés en plein air. Cela ne se fait pas.

Ils se rhabillèrent en se taquinant, échangeant

baisers et caresses, tant et si bien qu'ils ne reprirent le chemin de la maison qu'une bonne vingtaine de minutes plus tard. Nicholas la tenait par l'épaule, serrée contre lui, quand Amy surgit soudain de derrière une haute haie.

– Oh, Reggie, je suis si contente que ce soit toi ! fit-elle à bout de souffle.

– On me cherchait ? s'inquiéta Reggie, s'attendant au pire.

– Te chercher ? Je ne sais pas. Je suis sortie... me promener, tu vois, et je ne me suis pas rendu compte de l'heure...

Amy toussa subitement, car derrière elle, la haie se mettait à bruire.

– Marshall va être furieux, reprit-elle. Ça vous ennuierait beaucoup de dire que j'étais avec vous ?

Reggie parvint à retenir son sourire.

– Bien sûr que non, si tu promets de... ne pas oublier l'heure, la prochaine fois. Nicholas ?

– Pas de problème, acquiesça-t-il. J'oublie souvent l'heure moi aussi.

Tous trois firent de leur mieux pour garder leur sérieux en rentrant dans la maison.

14

La soirée des fiançailles, donnée par Edward et Charlotte Malory, fut un succès total. Toute la famille et leurs amis les plus proches y assistaient. Même la femme de Jason avait accepté de quitter sa cure à Bath pour être présente. La grand-mère de Nicholas et tante Eleanor rayonnaient. Reggie avait l'impression qu'elles avaient pratiquement renoncé à le voir se marier un jour. Seule absence de marque : sa mère, dont il ne parlait jamais.

Nicholas se conduisit parfaitement et tout se déroula à merveille. Les préparatifs de la fête avaient duré deux semaines, chaque détail avait été soigneusement réglé et tous ces efforts ne furent pas vains.

Hélas, ce bonheur ne dura pas. Deux mois plus tard, Regina était au comble du désespoir.

Elle n'aurait jamais cru cela possible. Elle avait eu la certitude qu'il serait heureux de l'épouser après la nuit où ils avaient fait l'amour. Il s'était montré si incroyablement patient, si tendre avec elle. Certes, il avait trop bu, mais ce n'était pas une raison : comment pouvait-il oublier ce qu'ils avaient partagé ?

Oh, le mariage n'était pas annulé. Et il la prévenait toujours quand il quittait la ville. Il avait passé plusieurs semaines à Southampton, prétextant ses affaires. Il la prévenait aussi dès son retour à Londres mais, au cours de ces deux derniers mois, elle ne l'avait pas vu plus de cinq fois. Et à chaque fois, cela s'était très mal passé.

Il n'arrivait jamais en retard pour l'accompagner à une soirée mais ne l'avait reconduite qu'à trois reprises. Les deux autres nuits, elle n'avait pu retenir sa colère et était partie sans lui. Il ne l'avait pas négligée pour les salles de jeu. Non, mais il avait passé plus de temps en compagnie de Selena Eddington qu'avec elle. Quand il s'était mis à la suivre partout comme un stupide chien, elle en avait eu assez et était partie.

Tout cela était intentionnel. C'était pour elle qu'il jouait les goujats. Et c'était ce qui la rendait si malheureuse. Si elle avait cru une seule minute qu'il était sincère, elle aurait laissé Tony s'occuper de lui. Mais il jouait cette comédie uniquement à son intention. On l'avait forcé à se fiancer avec elle, il voulait la forcer à rompre ces fiançailles.

Le pire était que, malgré son abominable conduite, elle ne pouvait rompre. Désormais, elle ne devait pas penser uniquement à elle...

Nicholas tendit sa cape de soie noire et son haut-de-forme à un valet. Reggie portait une robe blanche décorée de petits glands dorés autour du corsage et sur les manches courtes. Le décolleté était très profond, comme la mode l'exigeait, et cela la mettait mal à l'aise.

Elle était parvenue à convaincre Edward de les

laisser sortir sans chaperon pour une fois. Depuis les fiançailles, elle n'avait plus connu un seul moment agréable avec Nicholas.

Et c'était à nouveau mal parti pour ce soir : pendant le trajet en voiture, il n'avait pas essayé de s'approcher d'elle, ne lui avait même pas adressé la parole.

Elle lui lança un regard à la dérobée tandis qu'il se dirigeait vers le salon de musique où un jeune couple – des amis de Nicholas – donnait un récital devant une vingtaine d'invités. Il était exceptionnellement séduisant ce soir avec sa redingote vert sombre, son gilet crème et sa chemise à jabot. Sa cravate était nouée négligemment et il portait un pantalon long plutôt que les culottes et les bas de soie qu'affectionnaient les dandys. Le tissu moulait ses longues jambes, soulignant la puissance de ses cuisses et de ses mollets. Un simple regard sur ce corps gracieux la plongeait dans l'embarras.

Ses cheveux étaient un déchaînement de vagues brunes striées de traits d'or. Elle savait qu'ils étaient doux au toucher, comme elle connaissait la douceur de ses lèvres qui à présent n'étaient plus qu'une ligne dure. Pourquoi ne lui parlait-il pas ?

Soudain, une étincelle dansa dans les yeux de Reggie. Elle s'arrêta dans le hall avec un petit cri, obligeant Nicholas à s'arrêter lui aussi. Il se retourna alors qu'elle se penchait pour ajuster une de ses chaussures. Maladroite, elle perdit l'équilibre. Nicholas la rattrapa sous les bras mais elle se laissa quand même aller contre lui, agrippant ses épaules, pressant ses seins contre sa poitrine. Il soupira violemment comme s'il venait de recevoir un coup à l'estomac. Et le coup était rude, en effet. Il eut subitement l'impression que la fièvre l'avait saisi et ses yeux se mirent à briller comme deux braises ardentes.

Reggie noua son regard au sien.

– Merci, Nicholas.

Elle se libéra et le quitta comme si rien ne s'était passé tandis qu'il restait là, les paupières closes, les dents serrées, essayant de retrouver son sang-froid. Comment un incident aussi minime pouvait-il balayer toutes ses résolutions ? Il avait déjà assez de mal à supporter sa voix, sa vue... son odeur. Cet appel incessant... Mais son contact, c'était la seule arme contre laquelle il était impuissant.

– Oh ! regardez, Nicholas. Oncle Tony est ici !

Reggie adressa un large sourire à son oncle à travers la pièce. Mais ce n'était pas la seule raison pour laquelle elle souriait. Elle avait perçu le soupir de Nicholas, l'avait senti frissonner, avait vu le désir dans ses yeux. Elle savourait son triomphe.

Nicholas la rejoignit à l'entrée du salon. Son regard se posa immédiatement sur Anthony Malory penché vers une dame assise à son côté.

– Bon sang, que fiche-t-il ici ?

Reggie eut envie d'éclater de rire mais parvint à rester sérieuse.

– Je n'en sais rien. L'hôtesse est une de vos connaissances, pas une des miennes.

Il la scruta attentivement.

– Il ne fréquente pas ce genre de réceptions. Il est venu pour garder un œil sur vous.

– Oh, vous êtes injuste, Nicholas, le taquina-t-elle. C'est la première fois que nous le rencontrons.

– Vous oubliez Vauxhall.

– Mais c'était une pure coïncidence. Ce jour-là, il n'avait aucunement l'intention de veiller sur moi, j'en suis sûre.

– Non. Nous savons tous les deux quelle était son intention ce jour-là.

– Vous êtes en colère, murmura-t-elle sans insister davantage.

Elle connaissait la raison de la présence de son oncle. Il avait entendu dire que Nicholas voyait d'autres femmes et cela l'avait rendu furieux. Apparemment, il avait décidé de prendre les choses en main.

Le jeune couple au piano acheva son duo et quelques invités quittèrent leurs sièges pour se dégourdir les jambes avant la prochaine chanson. Reggie connaissait pratiquement tout le monde à l'exception de leur hôtesse, Mme Hargreaves. George Fowler se trouvait là avec sa sœur et son frère cadet. Elle avait récemment rencontré Lord Percival Alden, l'un des meilleurs amis de Nicholas. Elle reconnut aussi la dame que fréquentait Tony ces derniers temps. Et – ce qui l'irrita prodigieusement – elle aperçut Selena Eddington au bras d'un vieux camarade de Tony.

– Nicholas, dit-elle en lui touchant gentiment le bras, vous devriez me présenter à notre hôtesse avant que la sœur de George commence son récital.

Elle le sentit se raidir sous ses doigts. Tiens, tiens, songea-t-elle, ravie, je devrais le toucher plus souvent...

La soirée ne se déroula pas suivant ses prévisions. Au dîner, elle se retrouva placée loin de

Nicholas. Il était assis près de Mme Hargreaves, une femme séduisante envers qui il déploya une fantastique offensive de charme.

Reggie fit de son mieux pour bavarder avec George mais elle avait du mal à trouver ses mots. Et ce maudit Lord Percival, à sa droite, ne lui facilitait pas les choses, commentant en permanence les faits et gestes de Nicholas... ce qui l'obligeait à le regarder et à souffrir encore un peu plus chaque fois. Nicholas ne se contentait pas de charmer leur hôtesse : il flirtait ouvertement avec elle !

A mesure que la soirée avançait, Reggie oublia son triomphe initial. Pas une seule fois il ne tourna les yeux vers elle durant le repas. Elle remercia le Ciel que Tony fût relégué en bout de table et ne vît pas ce qui se passait.

Elle quitta la salle avec un profond soulagement en compagnie des autres femmes. Elle ne disposa que de quelques minutes pour retrouver son calme avant que les hommes les rejoignent au salon. Elle retint son souffle. Nicholas allait-il encore l'ignorer ? Il se dirigea tout droit vers Mme Hargreaves sans même lui accorder un regard.

C'en était trop ! Elle avait sa fierté. Et si jamais son oncle lui faisait le moindre commentaire à propos de Nicholas, elle risquait d'exploser. Elle ne pouvait se le permettre en public.

Quand elle demanda à George Fowler de la raccompagner, les yeux verts du jeune homme s'éclairèrent. Puis il dit :

– Mais votre oncle ?

– Il m'énerve un peu. (C'était vrai et faux en même temps mais elle avait besoin d'une excuse.) Et puis, il est accompagné. Je regrette de vous

imposer cette corvée, George. Votre sœur est ici.
– Mon frère peut s'occuper d'elle, ne craignez rien, déclara-t-il en souriant.
Eh bien, se dit-elle, amère, il existe encore une personne qui m'aime bien...

15

– C'est quand elle part avec un autre que vous vous intéressez à elle ?

Nicholas fit volte-face pour croiser le regard d'Anthony Malory.

– Vous me suivez, milord ?

– Inutile pour moi de rester plus longtemps maintenant que le spectacle est terminé, répliqua Anthony d'un ton enjoué. Et il était très bon. Elle n'est pas partie depuis cinq minutes que vous vous en allez aussi. Votre dernière scène est un peu ratée.

Nicholas le fixa avec fureur.

– Je m'étonne que vous ne les ayez pas suivis, pour vous assurer que Fowler la ramène bien chez elle. C'est ce que ferait un bon chien de garde.

Anthony ricana.

– Et pourquoi donc ? Elle n'en fera qu'à sa tête, quoi que je dise. Et je fais davantage confiance à Fowler qu'à vous... (Il s'éclaircit la gorge.) Même s'il ne l'a pas lâchée de toute la saison, l'an dernier. Et s'il ne la ramène pas droit à la maison, vous ne pourrez lui en vouloir, n'est-ce pas ? Vous faites de votre mieux pour donner à ces blancs-becs l'impression qu'elle est toujours disponible. (Il attendit un moment.) N'est-ce pas ?

Les yeux de Nicholas s'enflammèrent.

– Si ma conduite vous déplaît, vous savez ce qu'il vous reste à faire ?

– En effet, dit Anthony d'une voix soudain totalement dénuée d'humour. Et si je ne pensais pas à Reggie, je vous enverrais mes témoins sur-le-champ. Dès qu'elle cessera de prendre votre défense, nous nous retrouverons... vous pouvez en être certain.

– Vous êtes un sacré hypocrite, Malory.

Anthony haussa les épaules.

– Oui, quand un membre de ma famille est concerné. Vous savez, Montieth, Jason vous tient peut-être en haute estime mais il ne connaît que les points positifs de votre caractère. Il ne sait pas ce que vous êtes en train de faire, moi oui.

– Sans blague ?

– Ne tentez pas le diable, Eden.

Là-dessus, Anthony s'éclipsa, laissant Nicholas passablement furieux. Percy le rejoignit.

– Vous vous êtes encore disputés, remarqua-t-il avec sympathie.

– Quelque chose comme ça, oui...

Son ami secoua la tête. Le problème avec Nicholas était qu'il avait rarement rencontré une réelle opposition dans sa vie. Il était assez fort et assez téméraire pour que personne ne fût tenté de l'affronter. A présent, toute la famille de Lady Ashton lui tombait dessus et ceux-là n'étaient pas le moins du monde impressionnés par sa réputation.

– Tu ne devrais pas te tracasser autant, Nick. Tu n'as jamais rencontré quelqu'un qui ose te tenir tête et te voilà soudain aux prises avec une vraie bande.

Comme son ami ne répondait pas, il reprit :

– Ça ira mieux quand vous serez mariés.

– Sacré bon sang ! jura Nicholas.

Il planta Percy sur place et alla chercher son manteau.

Il prit une profonde inspiration une fois sous le porche. En attendant sa voiture rangée de l'autre côté de la rue, il respira à nouveau l'air de la nuit. Cela ne le calma pas.

– Attends, Nick. (Percy dévalait les marches du perron.) Ça ne te ferait pas de mal de parler avec un ami.

– Pas ce soir, Percy, je ne suis pas d'humeur.

– A cause de Malory ? Oh, c'est parce qu'elle est partie avec Georgie, c'est ça, hein ?

– Qu'elle parte avec qui elle veut, sacré nom ! Pour ce que ça me fait !

– Hé, du calme ! protesta Percy. Ce vieux Georgie n'est pas... Enfin, il est inoffensif, quoi. Elle est fiancée avec toi. Elle... je n'arrive pas à y croire. L'insensible Montieth est enfin jaloux !

– Je ne suis pas jaloux ! aboya Nicholas. J'espérais simplement que ce soir, ce serait terminé.

Sauf qu'il avait vu rouge quand George Fowler avait pris le coude de Regina. Fowler était jeune, beau, et ce maudit Malory avait pris soin de lui dire qu'il avait couru après Regina toute l'année dernière !

– De quoi diable parles-tu, Nicholas ? Qu'est-ce qui serait terminé ?

– Cette comédie des fiançailles. Tu ne pensais tout de même pas que j'allais l'épouser simplement parce qu'on m'a forcé la main ?

Percy émit un petit sifflement.

– Alors voilà pourquoi tu tournais autour de Mme Hargreaves. Ça m'étonnait d'ailleurs : elle n'est pas ton genre. Tu cherchais à provoquer la colère de Lady Regina.

– Suffisamment pour qu'elle me répudie. Ce n'est pas la première fois que je flirte en sa présence. Bon sang, j'ai même pourchassé Selena qui m'écœure complètement ! Mais Regina n'a pas réagi.

– Peut-être qu'elle t'aime, tout simplement.

– Je ne veux pas de son amour. Je veux sa haine.

Non, se dit-il, pas après avoir connu la douceur de son amour. Pas maintenant qu'il y tenait tellement et qu'il l'aimait lui aussi. Il n'aurait pu supporter sa haine.

– Eh bien, tu es dans un fameux pétrin. Et si elle ne rompt pas avec toi ? C'est toi qui la repousseras ?

Nicholas leva les yeux au ciel.

– J'ai donné ma parole que je l'épouserais.

– Alors c'est bien ce qui risque d'arriver.

– Je sais.

– Tu trouverais ça si moche ?

Il avait bien peur du contraire. Il avait bien peur de se retrouver au paradis, mais pas question de l'avouer à Percy. Sa voiture approchait.

– Tu veux me rendre un petit service, Percy ? Retourne là-bas et donne un message de ma part à mon futur oncle par alliance. Dis-lui qu'il ferait bien d'avoir une petite conversation avec sa nièce à propos des hommes qui la raccompagnent chez elle. (Il grimaça.) S'il s'imagine que ça a une importance pour moi, il redoublera d'efforts pour la convaincre de me repousser. De toute manière, ça ne lui fera pas plaisir. Et ça suffit à me rendre heureux.

– Merci beaucoup, mon vieux. Il va m'arracher la tête !

Nicholas sourit.

– Possible. Mais tu feras quand même ça pour moi, hein ? Ah, je savais que je pouvais compter sur toi.

Il éclata de rire en voyant la tête de son ami et grimpa d'un bond dans sa voiture.

Sa bonne humeur s'envola dès qu'il se fut assis. Ce soir, il avait eu la preuve qu'il ne devait plus revoir Regina. Simplement en le touchant, elle l'avait mis à genoux. Nom d'un chien ! Il avait essayé de l'éviter autant que possible, mais cela n'avait rien changé : ils étaient toujours fiancés.

– Terminus, tout le monde descend, bonhomme.

Cette phrase brisa ses pensées.

Bonhomme ? De la part de son cocher ?

Nicholas jeta un œil par la vitre et ne vit pas sa maison mais des arbres et l'obscurité. Comment avait-il fait pour ne pas se rendre compte qu'ils quittaient Londres ? A moins que ce ne fût un des immenses parcs de la capitale ? Dans ce cas, il aurait aussi bien pu se trouver au milieu de nulle part : il ne passait jamais personne ici la nuit.

Qu'avait donc fait Malory ? Louer les services d'un malfrat pour pouvoir jurer ensuite à Regina qu'il n'avait pas levé la main sur lui ? Il imaginait déjà le cher oncle rigolant devant ses amis.

Un sourire mauvais apparut sur les lèvres de Nicholas. Voilà un bon moyen de se défouler. Pourquoi n'y avait-il pas pensé plus tôt ?

16

Un peu plus tôt dans la soirée, peu après l'arrivée de Nicholas et Regina chez Mme Hargreaves, un individu trapu nommé Timothy Pye pénétrait dans une taverne près des docks.

Timothy accomplissait toutes sortes de besognes : aussi bien une honnête journée de travail sur les quais... que trancher une gorge. Il reconnaissait volontiers sa préférence pour les tâches faciles et bien payées. Comme celle qu'il accomplissait depuis quelques jours. Son ami Neddy travaillait avec lui. Tout ce qu'ils avaient à faire, c'était suivre ce nabab partout où il allait et ensuite venir rendre compte à leur employeur.

C'était au tour de Timothy de faire son rapport. La taverne n'était pas aussi malfamée que certaines autres du port. Il monta à l'étage et frappa à une porte. On ne tarda pas à lui ouvrir.

Deux hommes se trouvaient dans la pièce. Le premier, grand, d'une minceur athlétique, arborait une énorme barbe rousse. L'autre, un jeune homme de bonne taille, était très joli garçon : il avait même quelque chose de féminin, avec ses cheveux noirs et ses yeux en amande d'un bleu très sombre. Timothy ne connaissait pas leurs noms et s'en fichait : il obéissait aux ordres sans poser de questions.

– Le gars est coincé pour la soirée, commença Timothy s'adressant à Barbe-Rouge. Un truc de riches dans le West End. Y a qu'du beau linge.

– Seul ?

Timothy sourit.

– Il a ram'né l'beau morceau avec lui. J'les ai vus.

– Etes-vous certain qu'il s'agit de la même lady, monsieur Pye, celle qui est partie sans lui la dernière fois ?

Timothy hocha réellement la tête.

– On peut pas l'oublier, m'sieu. C'est une sacrée poupée.

Le jeune homme prit la parole :

– Ce doit être sa maîtresse, tu ne crois pas ? Mon paternel dit qu'il n'est pas du genre à perdre son temps avec une femme avec laquelle il ne couche pas.

– Bon sang, mon garçon ! gronda Barbe-Rouge. Mon père, pas mon paternel. Tu ne t'exprimes jamais aussi mal devant lui, alors pourquoi le fais-tu avec moi ?

Le jeune homme rougit violemment. Gêné, il détourna ses beaux yeux bleus et se dirigea vers une table où s'étalaient un jeu de cartes, une bouteille de vin et deux verres. Il s'assit et se mit à battre les cartes.

– Vous disiez, monsieur Pye ?

– Oui, m'sieu. Y fallait que j'vous parle de la jolie gosse, des fois qu'elle partirait encore sans lui.

– Comment est l'éclairage dans la rue ?

– Bon. Mais y a pas de problème : Neddy et moi on peut s'débarrasser du cocher sans être vus.

Barbe-Rouge sourit pour la première fois.

– Alors cette nuit est peut-être la bonne. Vous savez quoi faire si l'occasion se présente, monsieur Pye ?

– Oui, m'sieu. Vous voulez pas qu'la p'tite y soit mêlée, m'sieu. Si y sort seul, on s'occupe de lui.

La porte se referma derrière Pye et Conrad Sharpe éclata de rire. Il avait un rire étonnamment grave pour un homme aussi mince.

– Oh, arrête de bouder, mon garçon. Si tout se passe bien, on rentrera chez nous demain.

– Tu n'aurais pas dû me réprimander devant lui, Connie. Mon père me reprend jamais devant les autres.

– Ne me reprend jamais, corrigea Conrad. Ton père ne te connaît pas depuis très longtemps, c'est pour cela qu'il prend encore des gants avec toi, Jeremy.

– Et toi, non ?

– Pourquoi le ferais-je, gamin ?

Il y avait une réelle affection dans sa voix et Jeremy sourit enfin.

– S'ils le capturent ce soir, je pourrai venir ?

– Désolé, mon garçon. Ça ne va pas être joli-joli et je ne crois pas que ton père aimerait que tu assistes à ça.

– J'ai seize ans ! protesta Jeremy. J'ai survécu à une vraie bataille sur le bateau.

– De justesse.

– Mais...

– Non, coupa Conrad avec fermeté. Même s'il était d'accord, je ne te le permettrais pas. Tu n'as pas besoin de voir ton père sous son plus mauvais jour.

– Il va juste lui donner une leçon, Connie.

– Oui, mais, parcc quc tu as été blessé, la leçon va être gratinée. C'est une question de fierté. Tu n'as pas entendu la façon dont ce jeune lord s'est moqué de lui. Tu gisais à terre, presque mort.

– Par sa faute ! C'est pour ça...

– J'ai dit non !

– Oh, ça va, ça va, grommela Jeremy. Mais je ne comprends toujours pas pourquoi on s'est donné tout ce mal. On l'a suivi à Southampton pour rien et ça fait deux semaines qu'on en fait autant à Londres. Il aurait été plus drôle de couler un de ses navires.

Connie ricana.

– Tu te trompes, ç'aurait été moins drôle. Ce lord ne possède que six navires marchands mais en perdre un ne le ruinerait pas. Ton père désire une vengeance plus personnelle.

– Et après, nous rentrerons ?

– Oui, mon garçon. Et tu pourras enfin reprendre tes études.

Jeremy grimaça et Conrad s'esclaffa. Puis ils entendirent un gloussement féminin s'élever de la chambre voisine où se trouvait le père du garçon. La grimace de Jeremy se transforma en rictus gêné, ce qui fit rire Conrad de plus belle.

17

Comme le soleil avait brillé toute la journée, le sol était encore chaud sous sa joue. Ou peut-être gisait-il là depuis des heures et était-ce la propre chaleur de son corps. Telles furent les pensées qui traversèrent l'esprit de Nicholas quand il reprit connaissance.

Dans la seconde qui suivit, il se traita d'idiot, de triple idiot. En bon gentleman, il était descendu de la voiture sans imaginer une seconde qu'on l'assommerait par-derrière avant même qu'il eût posé un pied à terre.

Il cracha de la poussière. Apparemment, ils l'avaient abandonné là où il s'était effondré. Des gestes prudents lui apprirent qu'il avait les mains liées derrière le dos et qu'elles étaient complètement engourdies. Fameux ! Avec la douleur qui lui martelait le crâne, il aurait de la chance s'il parvenait à se mettre à genoux. Quant à se lever, il n'en était pas question pour le moment.

Résistant à un élancement abominable, il se tordit le cou pour voir une roue de la voiture... et une paire de bottes.

– Vous êtes encore là ? demanda-t-il, incrédule.

– Et où qu'j'irais, bonhomme ?

Nicholas ne répondit pas. L'individu éclata de rire. Que diable signifiait cette histoire ? Ne s'agissait-il pas d'un simple vol ? Il repensa à Malory mais il ne parvenait pas à l'imaginer payant une crapule pour le battre.

– Combien de temps suis-je resté inconscient ?

Sa tête lui faisait vraiment un mal de chien.

– Une bonne heure, bonhomme, au moins.

– Tu pourrais peut-être me dire ce que tu attends, alors ? gronda Nicholas. Vole-moi, et qu'on en finisse !

A nouveau, l'autre éclata de rire.

– C'est déjà fait, bonhomme. On m'a pas dit que j'pouvais pas, alors j'me suis servi. Mais j'dois te garder ici.

Nicholas essaya de s'asseoir mais un étourdissement l'en empêcha. Il jura puis essaya à nouveau.

– Du calme, bonhomme. N'essaie pas de m'avoir ou j'te f'rai encore goûter d'ma matraque.

Nicholas parvint enfin à s'asseoir, les genoux pliés pour supporter sa poitrine. Il se forçait à respirer profondément. Il put enfin examiner son agresseur et ne fut pas impressionné. S'il arrivait à se lever, il pourrait s'en débarrasser, même avec les mains liées.

– Tu veux bien m'aider à me mettre debout ?

– T'es drôle, bonhomme. Tu fais deux fois ma taille, j'suis pas né d'hier.

En tout cas j'aurai essayé, se dit Nicholas, morose.

– Et mon cocher ?

– Faut pas t'inquiéter. Y doit dormir. Y s'réveillera demain avec un bon mal de crâne, comme toi.

– Où sommes-nous ?

– J'préférais quand tu dormais. Tu poses trop d'questions.

– Tu peux quand même me dire ce que nous fabriquons ici.

– T'es assis au milieu d'la route et j'fais en sorte que t'y restes.

– Pour le moment, tu fais en sorte de me rendre furieux !

– Ah, ça, j'le regrette, bonhomme, ricana le petit homme. J'le regrette beaucoup.

Soudain, une voiture apparut au détour de l'allée. Comme son agresseur ne faisait pas mine de bouger, Nicholas en conclut, mal à l'aise, qu'elle était attendue. Qu'allait-il se passer encore ?

– Des amis à toi ?

L'autre secoua la tête.

– J'te l'ai dit, tu poses trop d'questions.

La lampe de la voiture éclaira les alentours et Nicholas crut reconnaître un environnement familier. Hyde Park ? Il galopait ici tous les matins et connaissait chaque allée aussi bien que ses terres de Silverley. Oseraient-ils l'attaquer si près de chez lui ?

La voiture s'arrêta à une vingtaine de mètres. Le cocher descendit, la lampe à la main. Derrière lui, deux hommes sortirent de la cabine mais Nicholas ne distinguait que de vagues silhouettes car la lumière l'aveuglait. Il essaya de se lever mais Pye lui enfonça sa matraque dans la poitrine.

– Un très joli tableau, pas vrai, Connie ?

– Ah, ça oui. Troussé comme un cochon et attendant notre bon plaisir.

Les rires des nouveaux venus irritèrent Nicholas, déjà passablement énervé. Il ne reconnaissait pas leurs voix mais ce devait être des hommes éduqués. Quels ennemis s'était-il faits ces derniers temps ? Par le Ciel, des douzaines ! Tous les anciens prétendants de sa future épouse.

– Bon travail, mes amis. (Une bourse fut lancée au porteur de matraque et une autre au cocher.) Laissez-nous cette lampe et repartez avec notre voiture. Nous utiliserons celle du milord. Il n'en aura plus l'emploi.

La lumière fut déplacée. Nicholas ne l'avait plus dans les yeux et il put pour la première fois étudier les deux hommes. Ils étaient tous deux grands et barbus et bien habillés. Le plus mince arborait une redingote, l'autre un manteau de cavalier. Il vit aussi des pantalons et des bottes soigneusement cirées. Qui étaient-ils ?

Le plus solide des deux, un peu plus petit que l'autre, tenait une canne de marche à pommeau d'ivoire. Cela, ajouté à sa barbe broussailleuse, lui donnait un air pompeux. Dans la quarantaine, il était aussi plus âgé que son compagnon. Nicholas lui trouva quelque chose de vaguement familier sans pouvoir le reconnaître.

– Apportez cette autre lampe avant de partir.

La lanterne de la voiture de Nicholas fut décrochée et placée de façon à laisser les deux hommes dans l'ombre. Leurs acolytes s'esquivèrent dans l'autre voiture.

– Il a l'air un peu perdu, tu ne trouves pas, Connie ? Je serais vraiment déçu s'il ne me reconnaissait pas.

– Tu pourrais lui rafraîchir la mémoire.

– Bonne idée.

La botte frappa Nicholas à la mâchoire. Il

s'effondra sur ses mains liées en poussant un grognement de douleur.

– Allons, mon gars, relève-toi. C'était une petite tape amicale.

Tirant sur ses poignets, ils le remirent brutalement sur pied, lui tordant les bras. Nicholas tituba mais une main solide le maintint. Il ne sentait plus sa mâchoire.

– Si nous sommes censés nous connaître...

Le coup de poing au ventre lui coupa le souffle. Il se plia en deux, cherchant désespérément de l'air.

Une main presque gentille glissa sous son menton pour le redresser.

– Ne me déçois pas une nouvelle fois, mon garçon, prévint une voix douce. Dis-moi que tu te souviens de moi.

Ivre de rage et d'impuissance, Nicholas contempla l'homme presque aussi grand que lui. Ses cheveux châtains étaient longs, attachés sur la nuque par un ruban. Quand il bougea la tête pour mieux dévisager Nicholas, un reflet d'or brilla sous son oreille. Une boucle ? Impossible. Les seuls hommes qu'il connaissait avec des boucles d'oreilles étaient... Sa colère se transforma en malaise.

– Capitaine Hawke ?

– Très bien, mon garçon ! J'aurais été très peiné si tu m'avais oublié ! Tu vois, Connie, un bon coup, et la mémoire revient. Pourtant, la dernière fois que nous nous sommes rencontrés, c'était dans une allée très sombre. Je doute que le garçon ait pu bien me voir.

– Il t'a assez vu sur le *Maiden Anne.*

– Non, c'est un garçon intelligent. Il m'a

reconnu par déduction. Il sait que je suis son pire ennemi.

– Désolé de vous décevoir, rétorqua Nicholas, mais vous n'êtes pas le seul à me haïr.

– Non ? Splendide ! Je suis ravi d'apprendre que ta vie ne sera pas toute rose après mon départ.

– Ce qui signifie que je survivrai à cette nuit ? demanda Nicholas.

Connie éclata de rire.

– Que je sois damné, Hawke, il est aussi arrogant que toi. Bientôt, il va te cracher à la figure.

– Il ferait mieux de s'abstenir, répliqua froidement Hawke, s'il ne veut pas que je lui crève un œil. Il ne serait pas beau avec un bandeau comme le vieux Billings ?

– Avec ce joli minois ? ricana Connie. Ça ne ferait que le rendre encore plus séduisant auprès des femmes.

– Alors je devrai peut-être lui arranger le portrait.

Nicholas ne vit pas partir le coup. La douleur explosa dans sa joue, l'impact le fit trébucher. Mais Connie était là pour le retenir. Puis un autre coup tout aussi puissant l'atteignit sur l'autre joue.

Il cracha du sang. Ses yeux brillaient d'une expression meurtrière quand il croisa le regard du pirate.

– Es-tu assez furieux pour te battre avec moi, mon garçon ?

– Il suffisait de demander, murmura Nicholas, la bouche en sang.

– Oh, je voulais en être sûr. Je suis ici pour exiger une juste rétribution, pas pour jouer avec toi. Donne le meilleur de toi-même, sinon je devrai remettre ça.

Nicholas ricana malgré la douleur.

– Une juste rétribution ? Tu oublies que c'est toi qui m'as attaqué le premier en mer.

– C'était mon travail. Tu comprends ?

– Dans ce cas, comment oses-tu parler de revanche alors que tu as simplement été battu ? Mais peut-être suis-je le seul à avoir eu l'honneur de vaincre le *Maiden Anne* ?

– Pas du tout, répliqua honnêtement Hawke. Il nous est déjà arrivé de perdre. Moi-même j'ai été blessé parfois. Mais je n'ai pas apprécié que mon fils soit blessé quand tu as démoli mon mât principal. Pourtant, même cela je l'aurais accepté. Le gamin était à bord, je savais ce qu'il risquait. Quoi qu'il en soit, comme je suis un gentleman...

– Un gentleman pirate ? Ça existe ?

C'était prendre un gros risque mais Nicholas n'avait pu retenir le sarcasme.

– Ricane si tu veux mais tu es assez intelligent pour comprendre pourquoi nous nous retrouvons.

Nicholas faillit éclater de rire. C'était incroyable. Le pirate l'avait attaqué dans l'intention de s'approprier sa cargaison. Et Nicholas avait remporté la bataille. Bon, il n'aurait peut-être pas dû se moquer du capitaine Hawke en le quittant. Mais cela datait déjà de quatre ans, il était jeune et téméraire à l'époque, fier de son triomphe. Pourtant c'étaient ces insultes qui avaient incité le capitaine Hawke à le poursuivre. Un gentleman ne pouvait ignorer une insulte !

Un gentleman ! Ils s'étaient retrouvés face à face dans une ruelle sombre de Southampton lors du retour de Nicholas en Angleterre trois ans plus tôt. Il n'avait pu apercevoir son assaillant cette nuit-là, même si Hawke avait pris soin de se présenter.

Cette rencontre avait été interrompue par une ronde de la garde.

Puis il y avait eu une lettre, attendant Nicholas à son retour des Indes occidentales l'an dernier, exprimant le regret du capitaine Hawke de n'avoir pu le revoir à Londres. Cette lettre avait convaincu Nicholas qu'il s'était fait un terrible ennemi.

– Libère-le, Connie.

Nicholas se raidit.

– Dois-je vous combattre tous les deux ?

– Allons, allons, mon cher. Ce ne serait pas très sportif.

– Crénom, gronda Nicholas, frapper un homme attaché n'est pas non plus très sportif.

– Je t'ai fait mal, mon garçon ? Accepte mes excuses dans ce cas, mais je te croyais fait d'un meilleur bois. Et puis tu comprends, j'ai longtemps attendu ce moment. J'avais le droit d'en profiter un peu.

– Tu dois te douter que je n'apprécie pas.

– Certainement, répliqua Hawke, moqueur.

Il enleva son manteau. Il était habillé de façon à pouvoir bouger librement : une chemise ample et un pantalon. Nicholas était empêtré dans son manteau, son habit de soirée et son gilet. Il réalisa, en voyant le pirate serrer les poings avec impatience, qu'il ne lui laisserait pas le temps de se mettre à son aise.

Nicholas ne put retenir un gémissement quand ses liens furent enfin tranchés. Ses bras tombèrent, douloureux, à ses côtés. Il ne sentait plus ses doigts. Puis le sang se mit à affluer et il eut l'impression que ses mains devenaient très lourdes. Il ne s'était pas trompé : l'autre ne lui accorda pas le moindre répit. Le premier coup le toucha au menton sans qu'il pût esquisser un geste de défense. Il chuta.

– Allons, mon garçon, se plaignit Hawke. Nous ne serons pas interrompus cette fois-ci. Bats-toi correctement et nous serons quittes.

– Et sinon ?

– Cet endroit sera le dernier que tu verras.

Nicholas prit l'avertissement au sérieux. Il se débarrassa de son manteau en roulant sur lui-même avant de se jeter sur son assaillant. Il le plaqua à mi-corps. Tous deux roulèrent à terre. Il assena une bonne droite sur la mâchoire de Hawke mais sa main était tellement endolorie que ce fut lui qui eut le plus mal.

Il se battit de son mieux mais Hawke était insatiable. Tout à sa vengeance, il était le plus furieux des deux. Il était aussi plus lourd, tandis que Nicholas était handicapé par les coups déjà subis. Les poings du pirate, tels deux marteaux, s'abattaient sans merci sur son corps et son visage. Le combat fut néanmoins extrêmement pénible pour les deux. Et quand Nicholas s'effondra, sanguinolent, sur le sol, ce fut avec la satisfaction de savoir que Hawke souffrait aussi. Mais cela n'empêcha pas ce dernier de ricaner.

– Je dois reconnaître, Montieth, que tu m'aurais probablement battu si nous avions démarré à armes égales. Maintenant, je suis satisfait.

Nicholas entendit encore vaguement quelques mots avant de sombrer dans l'inconscience. Conrad Sharpe se pencha sur lui et le secoua, en vain.

– Il a son compte, Hawke, mais tu dois lui tirer ton chapeau. Pour un gosse de riche gâté, il a tenu plus longtemps que je ne l'aurais cru. Comment te sens-tu, maintenant que tu as ta revanche ? demanda-t-il en riant.

– La ferme, Conrad ! Bon sang de bois, ce garçon a une fameuse droite !

– J'ai remarqué, rigola Conrad.

Hawke soupira.

– Tu sais, dans des circonstances différentes, j'aurais presque pu l'apprécier. Dommage que je sois tombé sur lui alors qu'il n'était qu'un jeune prétentieux à la langue trop bien pendue.

– A son âge, on l'était tous, non ?

– Sûrement.

Encore plié en deux, Hawke essaya de se redresser mais gémit de douleur et trébucha.

– Mets-moi dans un lit, Connie. Je crois que j'ai besoin d'une bonne semaine de repos après ça.

– Ça en valait la peine ?

– Ah, ça oui alors !

18

Le dernier des officiels ainsi que le docteur quittèrent la chambre et le valet de Nicholas, Harris, ferma la porte. Son maître s'autorisa un sourire qui se transforma en rictus car la coupure de sa lèvre était profonde.

– Si Monsieur le permet, je sourirai pour nous deux, proposa Harris.

Sa petite moustache s'étira comiquement.

– Cela s'est mieux terminé que je ne pouvais l'espérer, n'est-ce pas ? fit Nicholas.

– Oh oui, monsieur. Au lieu de passer devant la cour avec une simple accusation d'agression, ce brigand devra répondre de piraterie.

Nicholas éprouvait une joie mauvaise. La victoire de Hawke avait été de courte durée.

– Je ne devrais pas me réjouir, mais ce type a ce qu'il mérite.

– Absolument, monsieur. Le docteur dit que vous avez eu de la chance que votre mâchoire ne soit pas brisée. Et, de ma vie, je n'avais vu autant de blessures et de...

– Oh, peu importe. Crois-moi, il souffre, lui aussi. Dire que je ne l'aurais jamais rencontré s'il n'avait pas attaqué mon navire ! Et pourtant, c'est *lui* qui voulait se venger ! Il ne doit plus rire, à présent qu'il croupit au fond d'une prison.

Heureusement que la ronde de nuit vous a trouvé si vite, monsieur.

– Oui. Un vrai coup de chance.

Nicholas avait repris conscience quelques instants après le départ des pirates dans sa propre voiture. Presque aussitôt, il avait entendu le bruit des sabots tout proches. Il était parvenu à crier et les deux gardes l'avaient entendu. Il ne lui avait fallu que quelques secondes pour les convaincre de le laisser et de prendre sa voiture en chasse. Une demi-heure plus tard, ils étaient revenus porteurs d'excellentes nouvelles : ils avaient retrouvé son attelage et appréhendé l'un de ses agresseurs qui était en fort piteux état... mais l'autre était parvenu à s'enfuir.

Nicholas avait raconté toute l'histoire à ces braves hommes qui l'avaient raccompagné chez lui. Le nom de Hawke avait fait bondir l'un d'eux. Bientôt, une horde de magistrats avait débarqué chez lui tandis que le docteur le soignait encore. Ils avaient annoncé que Hawke était recherché pour avoir trahi la Couronne.

– Il est aussi heureux, reprit Harris, que Lady Ashton ne se soit pas trouvée avec Monsieur quand ces canailles l'ont agressé. J'en déduis que la soirée s'est déroulée comme prévu et qu'elle est à nouveau partie sans Monsieur ?

Nicholas ne répondit pas. Quand il pensait à ce qui aurait pu arriver... Non, l'idée lui était intolérable. Elle était saine et sauve, voilà ce qui comptait... Et elle l'était parce que George Fowler l'avait raccompagnée chez elle.

George Fowler ! Une colère irraisonnée le saisit.

– Monsieur ?

– Quoi ? aboya-t-il avant de se reprendre. Ah oui, Harris, la soirée s'est déroulée comme prévu.

Le distingué valet était au service de Nicholas depuis plus de dix ans et nul ne devinait mieux que lui les sentiments et les pensées de son maître. Il savait que Nicholas ne voulait pas épouser Regina Ashton, même s'il ignorait pourquoi... et n'eût jamais osé le demander. Mais ils avaient souvent discuté ensemble de la stratégie à adopter pour parvenir à rompre les fiançailles.

– Lady Ashton s'est disputée avec Monsieur ?

– Malheureusement, elle n'a pas été jusque-là, répondit Nicholas d'une voix lasse tandis que le sédatif du médecin commençait à faire son effet. Je suis toujours fiancé.

– Eh bien, sûrement la prochaine fois...

– Oui.

– Mais il ne reste guère de temps avant la cérémonie, ajouta Harris d'un ton hésitant. Le docteur tient à ce que vous gardiez le lit trois semaines.

– Balivernes ! Je serai debout dans trois jours, pas un de plus.

– Si vous le dites, monsieur.

– Je le dis.

– Très bien, monsieur.

N'ayant jamais subi un tel traitement, Nicholas ne pouvait se douter qu'il se sentirait dix fois plus mal le lendemain. Il maudit copieusement le capitaine Hawke. Comme il aurait aimé le voir se balancer au bout d'une corde !

Il lui fallut une bonne semaine avant de pouvoir bouger sans éprouver d'insoutenables douleurs. Et s'il parvint finalement à se lever au cours de la deuxième semaine, son corps protestait violemment.

Il n'était pas en état de sortir. Mais il ne pouvait se permettre de perdre encore davantage de temps. Le mariage avait lieu dans quelques jours.

Il devait voir Regina.

Malgré son état, il se présenta chez les Malory à Grosvenor Square. On lui apprit que Regina était sortie faire des courses pour constituer son trousseau. Cette information augmenta encore sa panique. Il attendit une bonne heure et, dès l'arrivée de sa fiancée, l'entraîna fort impoliment à l'écart de ses cousins.

Sans prononcer le moindre mot, il la conduisit dans le jardin. Il marchait à longues enjambées, l'air sombre. La voix douce de Regina l'arrêta net :

– Vous êtes rétabli ?

Une fraîche brise d'automne balayait les feuilles et faisait frissonner les plumes de son chapeau. Ses joues étaient rougies par le froid et ses grands yeux bleus brillaient. Elle était trop adorable. Beaucoup trop. Vraiment, elle demeurait la plus belle femme qu'il eût jamais rencontrée.

– Rétabli ? répéta-t-il.

– Derek nous a dit que vous étiez malade. Je suis navrée pour vous.

Enfer ! Voilà qu'elle lui offrait sa sympathie ! Il aurait de beaucoup préféré sa colère.

– En fait, je traînais dans une de ces tavernes le long des quais et je me suis fait drôlement frictionner par des ruffians qui en voulaient à ma bourse. Fréquenter ces endroits procure toujours des sensations.

Elle sourit d'un air tolérant.

– Tony était certain que vous prendriez prétexte de votre maladie pour repousser le mariage. Je lui ai dit que ce n'était pas votre style.

– Vous me connaissez donc si bien, chérie ? fit-il sardonique.

– Vous avez beaucoup de défauts mais la lâcheté n'en fait pas partie.

– Vous vous avancez...

– Oh, sottises, le coupa-t-elle. N'essayez pas de me convaincre du contraire, je ne vous croirai pas.

Nicholas serra les dents et elle lui adressa un sourire amusé. Il n'aurait pas dû la regarder. Comme à chaque fois, sa beauté le bouleversait. Il avait du mal à rassembler ses idées.

– Je devrais sans doute vous demander de vos nouvelles...

– Vous le devriez, oui, acquiesça-t-elle. Mais nous savons tous deux que cela ne vous intéresse nullement. Par exemple, vous ne serez pas blessé d'apprendre que j'ai été trop occupée pour avoir le temps de penser à vous ? Et vous ne le serez pas davantage quand je vous dirai que d'autres hommes m'ont tenu compagnie partout où j'allais ?

– George Fowler ?

– George, Basil, William...

– Vous essayez de vous venger en éveillant ma jalousie ?

– Me venger ? Oh, je vois, vous me jugez d'après vous. Comme c'est amusant, Nicholas. Simplement parce que vous êtes fasciné par les autres femmes...

– Assez, Regina ! s'emporta-t-il, à bout de patience. Pourquoi cacher votre colère sous ces politesses ridicules ? Vous devriez être furieuse après moi.

– Ne me tentez pas.

– Aha ! s'exclama-t-il, triomphant. Je commençais à penser que vous manquiez de caractère.

Elle rit doucement.

– Oh, Nicholas. Tenez-vous vraiment à ce que je vous traite comme une créature indigne et méprisable ? Que je jure que je ne vous épouserai jamais même si vous étiez le dernier homme sur terre ?

Il lui lança un regard noir.

– Vous vous moquez de moi, madame ?

– Qu'est-ce qui vous le fait penser ?

Elle avait dit cela avec une telle innocence qu'il la prit par les épaules, prêt à la secouer. Mais ses magnifiques yeux bleus s'écarquillèrent de surprise et elle leva à son tour les mains pour l'enlacer. Nicholas rougit de la tête aux pieds.

Il s'écarta, tremblant.

– L'urgence me force à être brusque, Regina, dit-il froidement. Je vous ai déjà demandé de rompre ces fiançailles ridicules. Je vous le demande à nouveau. Non, je vous en supplie. Car je ne veux pas vous épouser.

Elle baissa les yeux, fixant le bout de ses bottes vernies.

– Vous ne voulez donc pas de moi... ? Même pas comme maîtresse ?

Une lueur passa dans les yeux de Nicholas mais il se contenta de répondre :

– Vous feriez sans aucun doute une parfaite maîtresse.

– Mais cela ne vous intéresse plus ?

– Plus du tout.

Elle lui tourna le dos, les épaules voûtées, misérable petite silhouette. Nicholas dut faire un effort surhumain pour ne pas courir la prendre dans ses bras. Il voulait retirer tout ce qu'il avait dit, lui avouer que tout cela n'était qu'un mensonge. Mais il valait mieux qu'elle fût déçue quelque temps et puis qu'elle l'oubliât. Il ne pouvait la laisser épouser un bâtard.

– J'ai vraiment cru être capable de te rendre heureux, Nicholas.

Ce murmure flotta jusqu'à lui. Il eut l'impression qu'on l'assassinait.

– Aucune femme ne le peut.

– Je suis désolée alors. Vraiment.

Il ne bougea pas.

– Vous allez donc rompre ?

– Non.

Il se raidit, incrédule.

– Non ? Au nom du Ciel, qu'est-ce que ça veut dire ?

– Le mot non signifie...

– Je sais ce que signifie ce mot, sacré nom !

Elle se retourna enfin.

– Il est inutile de crier, monsieur.

– Assez de politesses ! s'écria-t-il, excédé.

– Les circonstances l'exigent, répliqua-t-elle sèchement. Vous n'aurez qu'à vous absenter de Londres la semaine prochaine. Je suis assez forte pour surmonter l'humiliation d'être rejetée, je vous l'assure.

– J'ai donné ma parole ! s'exclama-t-il.

– Ah oui, la parole d'un gentleman... qui n'est un gentleman que quand ça l'arrange.

– Je n'ai qu'une parole.

– Alors il va falloir la respecter, Lord Montieth.

Elle voulut s'éloigner mais il l'empoigna durement.

19

– Ah, ne pleure plus, mon pauvre petit cœur, supplia Meg. Tes cousines seront ici d'une minute à l'autre pour t'aider à t'habiller.

– C'est plus fort que moi, sanglota Reggie. D'ailleurs, les mariées pleurent toujours à leur mariage.

– Mais tu pleures depuis une semaine. Et ça n'a rien changé, non ?

Reggie secoua la tête.

– Non.

– Tu ne veux pas avoir les yeux tout gonflés un jour comme aujourd'hui ?

– Ça m'est égal. Je porterai un voile.

– Mais tu ne porteras pas de voile cette nuit.

Un court silence régna puis Reggie murmura :

– Y aura-t-il une nuit de noces ?

– Il n'osera pas te la refuser ! s'exclama Meg, outrée.

– Je t'ai répété ce qu'il m'a dit.

– Sottises. Certains hommes sont simplement morts de peur à l'idée du mariage, et visiblement son vicomte en fait partie.

– Mais il a juré qu'il ne serait jamais un mari pour moi.

– Ne faites pas cela, Regina, déclara-t-il, mauvais. Vous le regretterez.

– Je le regrette déjà.

Il en resta pantois.

– Mais alors, pourquoi ? demanda-t-il, au désespoir.

– Je... Il le faut.

Il la lâcha et s'écarta, les traits déformés par la rage.

– Alors soyez damnée ! Je ne serai jamais un mari pour vous, je le jure. Si vous persistez dans cette comédie, tout ce que vous aurez, ce sera une comédie de mariage. Je vous souhaite bien du bonheur !

– Nicholas, tu n'es pas sincère !

Des larmes brillaient dans ses yeux.

– Je vous en donne ma parole, madame. C'est mon dernier avertissement : ne venez pas à l'église.

– Il a dit ça dans la colère du moment, répondit Meg patiemment. Ça ne compte pas.

– Pour lui ça compte peut-être. Oh, comment ai-je pu me tromper à ce point sur lui ? s'écria Reggie. Comment ? Et dire que je l'ai même comparé à Tony ! Nicholas Eden n'a rien de commun avec mon oncle. Il n'a pas le moindre sentiment... sauf entre les jambes, ajouta-t-elle amèrement.

– Reggie !

– Eh bien c'est la vérité ! Pour lui, je n'étais qu'un jeu, une nouvelle conquête.

Meg la toisa, les mains sur les hanches.

– Tu aurais dû lui dire pour le bébé, répéta-t-elle pour la centième fois. Il aurait au moins compris que tu n'as pas le choix.

– Il ne m'aurait sûrement pas crue. J'ai déjà du mal à y croire moi-même. Regarde-moi ! J'en suis au quatrième mois et ça ne se voit toujours pas. Je n'ai eu aucun malaise, rien... Suis-je en train de m'aveugler à cause de cet homme ? Et si je n'étais pas enceinte ?

– J'aimerais que ce soit le cas, ma fille, mais tu sais bien que tu l'es. Et je continue à croire que tu aurais dû lui dire.

– Idiote que j'étais, je pensais que son attitude odieuse n'était qu'une ruse. (Elle soupira.) Tu sais, Meg, il me reste encore un peu de fierté.

– Il y a des moments où il faut savoir ravaler sa fierté, ma fille, murmura tendrement Meg.

Reggie secoua la tête.

– Tu veux savoir ce qu'il m'aurait dit ? « Ne perdez plus votre temps avec moi et trouvez-vous un père pour l'enfant. » Voilà ce qu'il aurait dit !

– Et c'est peut-être ce que tu aurais dû faire.

Les yeux de Reggie lancèrent des éclairs.

– Je n'obligerai jamais un homme à endosser ce fardeau ! Nicholas Eden va avoir un enfant : c'est à lui d'en payer le prix, pas à un autre.

– Pour le moment, tu es la seule à payer, Reggie.

– Je sais, soupira celle-ci, brisée. Mais je croyais l'aimer. Dès que j'accepterai le fait que je me suis trompée, ça ira mieux.

– Il n'est pas trop tard, tu sais. Tu peux partir sur le continent et...

– Non ! cria Reggie avec tant de force que la servante sursauta. C'est *mon* enfant ! Je ne veux pas connaître la honte de me cacher jusqu'à sa naissance et de l'abandonner ensuite, uniquement pour garder une chance de faire un mariage quelconque. Je ne serai pas forcée de vivre avec lui, tu sais, pas si cela s'avère trop difficile. Mais mon enfant portera le nom de son père. Nicholas Eden assumera ses responsabilités, c'est la moindre des choses.

– Il vaut mieux nous préparer, marmonna Meg. Nous risquons d'être en retard à l'église...

Nicholas était déjà devant l'autel, oscillant entre la rage et le désespoir. La famille et les amis arrivaient, prouvant que tout cela n'était pas un mauvais rêve, mais la sinistre réalité. Sa grand-mère et sa tante étaient présentes mais Miriam Eden brillait par son absence. Ce qui renforçait sa conviction : il avait accompli son devoir en décourageant sa fiancée.

Son cœur se serra quand Jason Malory pénétra dans l'église, la mariée à quelques pas derrière lui. Un murmure général et quelques exclamations parcoururent la foule car elle était vraiment époustouflante dans sa robe de soie bleu ciel et argent, avec des flots de dentelles qui ondulaient autour d'elle. C'était une robe d'un style un peu dépassé qui la rendait plus frappante encore avec sa taille serrée et ses longues manches. Même si la jupe n'était pas aussi ample qu'au temps jadis, elle formait une cloche qui s'évasait gracieusement jusqu'au sol. Un diadème d'argent et de diamants maintenait un voile blanc qui lui couvrait le visage jusqu'au menton, tandis qu'à l'arrière il tombait comme une longue traîne.

Elle resta sur le seuil de l'église durant de longues secondes, faisant face à Nicholas au bout de l'allée. Il ne voyait ni son visage ni ses yeux et il attendait, haletant, la suppliant silencieusement de faire volte-face et de fuir.

Elle ne le fit pas. Plaçant sa main sur le coude de son oncle, Regina entama la lente marche vers l'autel. Une colère froide envahit Nicholas. Par le caprice de cette femme-enfant, il devait se plier à cette farce. Il devait se marier. Très bien, aujourd'hui elle triomphait. Mais cela ne durerait pas longtemps. Quand elle apprendrait qu'elle avait épousé un bâtard, elle regretterait de ne pas l'avoir écouté. Ironie du destin, pour une fois, Miriam l'aiderait. Elle prendrait un malin plaisir à tout révéler à l'épouse de son fils. Ce serait bien la première fois que sa « mère » lui rendrait service. Bien malgré elle, évidemment.

20

Reggie regarda par la vitre de la diligence mais n'y vit que son propre reflet. Elle s'empourpra tandis que son ventre affamé émettait de petits bruits incongrus mais ne chercha pas à savoir si Nicholas les avait entendus. Il était vautré en face d'elle dans la voiture confortable qui portait ses armoiries.

La lampe de la cabine brûlait depuis deux heures mais ils ne s'étaient toujours pas arrêtés dans une auberge pour dîner. Elle avait faim, pourtant elle aurait préféré mourir plutôt que de demander une halte.

Un gigantesque festin avait été préparé chez les Malory mais Reggie n'avait même pas pu y assister. Juste après la cérémonie, Nicholas l'avait ramenée chez elle en lui ordonnant de préparer un bagage pour la nuit et de faire envoyer le reste de ses affaires à Silverley. Ils étaient partis bien avant l'arrivée des convives.

Ils ne s'étaient pas arrêtés une seule fois depuis leur départ. Et Reggie avait renoncé à se plaindre : Nicholas n'avait pas desserré les dents depuis Londres.

Il était marié, et furieux de l'être. C'était prévisible. Mais puisqu'il l'amenait chez lui à la campagne, c'était de bon augure, non ? Ce départ précipité l'avait surprise. Elle ne savait pas à quoi s'attendre.

Son estomac se plaignit à nouveau et elle se lança enfin :

– Allons-nous bientôt nous arrêter pour dîner ?

– La dernière auberge était à Montieth. Silverley est juste devant nous, répliqua Nicholas avec brusquerie.

Il aurait pu le lui annoncer plus tôt.

– Est-ce que Silverley est un grand domaine, Nicholas ?

– A peu près aussi grand que le vôtre, qui borde le mien.

Elle ouvrit de grands yeux.

– Je l'ignorais !

– Allons donc !

– Pourquoi êtes-vous furieux ? Après tout, c'est parfait. Les deux domaines ne feront qu'un à présent...

– Cela fait des années que je m'y emploie. Mais votre oncle vous en a sûrement parlé. Il a utilisé vos terres comme argument décisif pour me convaincre de vous épouser.

Elle rougit soudainement.

– Je ne le crois pas.

– Vous ne croyez pas que je voulais ces terres ?

– Vous savez très bien ce que je veux dire ! s'exclama-t-elle. Oh, je savais que vous aviez parlé de ce domaine, et Tony disait même que c'était ce qui vous avait convaincu, mais... mais je ne le croyais pas. Personne ne m'a rien dit. J'ignorais que vos terres voisinaient avec ce domaine que j'ai hérité de ma mère. Je n'y ai pas vécu depuis... la mort de mes parents, dans l'incendie qui a détruit la maison. J'avais deux ans à l'époque. Je ne suis jamais retournée dans le Hampshire. Oncle Edward s'est toujours occupé de tout mon héritage.

– Oui, une jolie somme, cinquante mille livres. Il a été très heureux de m'apprendre que votre fortune avait triplé grâce à ses judicieux investissements, vous procurant un revenu non négligeable.

– Seigneur, cela vous irrite aussi ?

– Je ne suis pas un chasseur de dot !

– Oh, assez ! Qui oserait prétendre cela ? Vous n'êtes pas dans le besoin.

– Ce n'est un secret pour personne que je désirais ces terres. Terres dont je croyais qu'elles appartenaient au comte de Penwich, puisqu'il était le dernier habitant des lieux.

– Mon père résidait ici, c'est exact, mais pas le comte actuel. Ce domaine appartenait à ma mère, pas aux Penwich. Elle a souhaité que j'en hérite.

– Je le sais ! Votre oncle Edward a trouvé très amusant de m'informer, à peine la cérémonie terminée, que je ne devais plus m'inquiéter à ce propos. Il était impatient de m'apprendre que je n'avais plus à acheter ces terres. Il tenait à m'enlever un souci inutile, paraît-il. Bon sang ! Vous vous rendez compte de ce que cela signifie, madame ?

– Vous rendez-vous compte que vous êtes en train de m'insulter, monsieur ?

Il eut la décence de paraître surpris.

– Je ne voulais pas...

– Au contraire, c'est exactement ce que vous vouliez. C'est donc cela qui vous agace ? Qu'on prétende que vous m'avez épousée pour mon héritage ? Merci beaucoup ! Je pensais être capable de me trouver un mari autrement.

Il fronça les sourcils et dit froidement :

– Souhaitez-vous vraiment discuter de la façon dont vous avez trouvé votre mari ?

Elle le foudroya du regard et crut un instant qu'elle allait perdre son sang-froid. Se mordant la joue, elle parvint néanmoins à garder le silence. Ce fut avec soulagement qu'ils sentirent la diligence ralentir et s'arrêter enfin.

Il bondit dehors et lui offrit sa main pour l'aider. Mais dès qu'elle fut descendue, il remonta à bord de la cabine. Elle le dévisagea, ébahie.

– Vous n'oserez pas ! s'exclama-t-elle d'une voix étranglée.

– Ne jouez pas la surprise, répliqua-t-il avec amertume. Comme je vous l'ai déjà dit, je suis un homme de parole.

– Vous ne pouvez me laisser ici... ce soir !

– Ce soir, demain, quelle différence ?

– Vous le savez parfaitement !

– Ah oui, la nuit de noces. Mais nous avons déjà eu la nôtre, n'est-ce pas, chérie ?

Un frisson la secoua.

– Si vous faites cela, Nicholas, je jure que je ne vous le pardonnerai jamais.

– Dans ce cas, nous sommes à égalité. Je vous ai fait un serment, vous m'en faites un autre. Vous avez ce que vous désiriez. Vous portez mon nom, je vous laisse mon foyer. Il n'est écrit nulle part que je dois le partager avec vous.

– Vous espérez que je resterai ici tandis que vous continuerez à vivre comme avant, à Londres, à vous...

Il secoua la tête.

– Londres est trop proche d'ici. Non, je quitte l'Angleterre. Ce que j'aurais dû faire bien avant notre rencontre !

– Nicholas, vous ne pouvez pas. Je suis...

Reggie s'interrompit avant de prononcer les seuls mots qui pouvaient le faire changer d'avis. Elle avait trop de fierté. Elle ne voulait pas imiter ces milliers de femmes qui étaient prêtes à tout pour s'attacher un homme. Il devait rester pour elle, pas pour l'enfant.

– Vous êtes... quoi, chérie ?

– Votre femme, fit-elle calmement.

Il serra les dents.

– C'est exact. Mais n'oubliez pas que je ne vous l'ai jamais demandé, que j'ai au contraire essayé de vous en dissuader. J'ai toujours été franc avec vous, Regina.

Il ferma la portière et frappa sur le toit pour donner le signal au cocher. Incrédule, Reggie vit l'attelage s'éloigner.

– Nicholas, reviens ! cria-t-elle enfin. Si tu pars... Nicholas ! Oh, je te hais ! Je te hais ! hurla-t-elle tout en sachant qu'il ne l'entendait plus.

Accablée, elle ne bougea pas pendant plusieurs minutes, puis elle fit face à la grande maison de pierres grises. On aurait dit un petit château, sinistre dans l'obscurité, avec sa tour centrale et les deux autres sur les ailes.

Les hautes fenêtres en voûte de chaque côté de l'entrée étaient sombres. Et s'il n'y avait personne ? Fameux. Abandonnée le soir de ses noces dans une maison vide !

Bon, pour l'instant, elle n'avait pas le choix. Se redressant, elle se dirigea vers la lourde porte comme s'il était parfaitement normal qu'une jeune mariée arrivât de nuit sans son époux. Elle frappa, d'abord doucement puis plus fort.

Quand le battant s'entrouvrit enfin, Reggie vit apparaître le visage étonné et méfiant d'une jeune fille, une servante. Celle-ci la dévisagea une bonne minute avant de prendre enfin la parole :

– Nous n'attendions aucune visite ce soir, milady, sinon je suis certaine que Sayers vous aurait ouvert. Mais vous avez frappé si doucement... Mince, voilà que je me mets à papoter. Que puis-je faire pour vous ?

Reggie sourit, soulagée.

– Vous pourriez me laisser entrer, pour commencer.

La fille ouvrit la porte en grand.

– Vous êtes venue rendre visite à la comtesse, Lady Miriam ?

– En fait, je suis venue vivre ici... pour un moment en tout cas. Mais j'imagine que rencontrer Lady Myriam serait un bon début.

– Mince ! Vous voulez vivre ici ? Vous en êtes sûre ?

Elle paraissait tellement abasourdie que Reggie éclata de rire.

– Pourquoi ? Il y a des dragons et des lutins ?

– Il y a au moins un dragon. Deux, si on compte Mme Oates, expliqua la fille avant de rougir furieusement. Je ne voulais pas... Oh, pardonnez-moi, milady.

– Il n'y a pas de mal. Comment vous appelez-vous ?

– Hallie, m'dame.

– Eh bien, Hallie, pourriez-vous informer Lady

Miriam de mon arrivée ? Je suis la nouvelle comtesse de Montieth.

– Mince ! couina Hallie.

– Précisément. Maintenant, si vous me montriez où je puis attendre Lady Miriam ?

La servante la laissa entrer.

– Je vais dire à Mme Oates que vous êtes là et elle ira prévenir la comtesse elle-même.

Le hall d'entrée était étroit et pavé de marbre, avec une seule longue table posée contre un mur. Un plateau d'argent trônait au centre de la table et une ravissante tapisserie était suspendue juste derrière. Un grand miroir vénitien décorait le mur opposé, encadré par des chandeliers. Une double porte faisait face à l'entrée.

Hallie l'ouvrit, révélant un hall beaucoup plus grand, d'une hauteur de deux étages avec un plafond magnifique en forme de dôme. Au fond de ce hall, une autre porte ouverte donnait dans un salon et Reggie aperçut des vitres teintées couvrant presque entièrement le mur extérieur. La maison semblait extrêmement vaste.

A gauche du hall était située la bibliothèque où Hallie la conduisit. La pièce, immense, possédait de grandes fenêtres, trois murs couverts de livres et quelques sévères portraits suspendus ici et là.

Il y avait aussi une cheminée devant laquelle se trouvaient deux sofas. Près des fenêtres, de belles chaises sculptées placées devant des tables permettaient de s'y installer pour lire. Un tapis magnifique dans des tons de bleu et de marron recouvrait le sol.

– Cela ne devrait pas être long, m'dame, dit Hallie. La comtesse... Oh, flûte, c'est la comtesse douairière maintenant, n'est-ce pas ? Comme la vieille dame, la grand-mère de Milord. Mais Lady Miriam sera ravie de vous accueillir, j'en suis sûre. (Elle disait cela poliment mais sans la moindre conviction.) Puis-je vous apporter quelque chose ? Il y a du cognac, là, sur la table et du vin de mûres. C'est la boisson de la comtesse.

– Non, je vais juste m'asseoir un peu, merci, répondit Reggie avec un sourire.

– Très bien, m'dame. Et puis-je être la première à vous souhaiter la bienvenue ? J'espère que vous vous plairez ici.

– Moi aussi, Hallie, soupira Reggie. Moi aussi.

21

Reggie pénétra dans la bibliothèque pour attendre Lady Miriam. Elle ne l'avait toujours pas rencontrée. La veille, Mme Oates – qui était bien le dragon décrit par Hallie – n'avait pas voulu réveiller la maîtresse de maison.

Après un rapide petit déjeuner qu'elle avait pris seule, Lady Miriam étant déjà sortie pour sa promenade matinale, Reggie avait demandé à Hallie de lui faire visiter la maison.

Celle-ci était immense, en effet. Près du hall d'entrée se trouvait une salle de billard pourvue de trois tables. Les pièces, innombrables, étaient toutes délicieusement décorées de meubles superbes. Les plafonds s'évasaient en voûtes peuplées de bas-reliefs en stuc sculpté.

Le salon de musique, dans les verts et blancs, voisinait avec une magnifique véranda dont la paroi donnant sur le jardin était entièrement faite de vitres teintées. Il y régnait une lumière splendide qui ruisselait sur le sol de marbre blanc. La beauté de cette demeure stupéfiait Reggie.

A l'étage, les appartements des maîtres occupaient toute la façade côté jardin : d'abord la chambre du lord, un boudoir, la chambre de la lady, et puis la nursery. Il y avait aussi une chambre pour une nourrice et une pour la servante de la lady.

La visite avait pris une bonne heure et Hallie avait été heureuse de la passer avec elle. Elle était parvenue à tromper la vigilance de Mme Oates. Pour rien au monde Reggie n'aurait voulu découvrir sa nouvelle demeure avec cette acariâtre matrone. Hallie avait malheureusement dû la quitter pour retourner à ses occupations, lui expliquant que Lady Miriam passait toujours à la bibliothèque après sa promenade.

Son attente ne dura guère. La comtesse, vêtue de sa tenue de cavalière et portant toujours sa cravache, pénétra dans la pièce. Elle eut un bref mouvement de surprise en remarquant Reggie. Puis elle fit mine de l'ignorer et ôta son chapeau et ses gants.

Voilà qui expliquait en partie l'impolitesse de Nicholas...

Reggie profita de ce dédain pour examiner Miriam Eden. Pour une femme approchant de la cinquantaine, elle était remarquablement conservée. Elle possédait une silhouette mince et jeune, malgré sa raideur. Ses cheveux blonds tirés sévèrement en arrière ternissaient sans grisonner. Quant aux yeux, ils étaient d'un gris glacial. Des yeux durs, froids.

La ressemblance avec sa sœur Eleanor était réelle, mais limitée. La tante de Nicholas produisait une impression de chaleur et de gentillesse totalement absente chez la comtesse. Comment allait-elle pouvoir vivre avec ce glaçon ?

– Dois-je vous appeler mère ? demanda-t-elle soudain.

La comtesse sursauta avant de la dévisager froidement, les lèvres pincées. Visiblement, elle n'avait pas l'habitude qu'on s'adressât ainsi à elle.

– Inutile, répliqua Miriam sèchement. Je ne suis pas plus votre mère que...

– Oh, la coupa Reggie, j'avais cru deviner, en ne vous voyant pas au mariage, que Nicholas et vous étiez brouillés. Mais je...

– Ma présence était nécessaire ici.

– ... ne pensais pas que vous aviez désavoué votre fils, termina Reggie.

– Que faites-vous ici ? Et pourquoi Nicholas est-il absent ?

– C'est simple, nous ne nous accordons pas. Il nous est donc impossible de vivre ensemble.

Un silence étonné accueillit cette réponse.

– Alors pourquoi vous êtes-vous mariés ? interrogea enfin Miriam.

Reggie haussa les épaules et lui adressa un large sourire.

– L'idée semblait bonne. Pour moi, en tout cas. J'en avais assez de perdre mon temps dans toutes ces soirées. Je préfère de beaucoup la vie à la campagne.

– Ce qui n'explique pas pourquoi Nicholas a consenti à vous épouser.

Reggie haussa un sourcil.

– Vous savez sûrement pourquoi. Je n'étais pas présente moi-même quand il a donné son accord, mais votre sœur et votre belle-mère étaient là.

Miriam parut perplexe. Il n'était pas question pour elle d'admettre qu'elle n'avait plus aucun contact avec Eleanor ou Rebecca. Cette perplexité réjouit Reggie qui n'avait aucune envie d'éclairer sa lanterne.

– Nous sommes très isolés ici, expliqua Miriam.

Reggie sourit.

– Tant mieux. Je n'ai en fait qu'un seul regret : je dois vous demander de me choisir une autre chambre à coucher.

Miriam se redressa de toute sa hauteur.

– Mme Oates vous a installée dans la chambre de Nicholas. Cela ne vous suffit pas ?

– Cela ne suffira pas. J'aurai bientôt besoin de la nursery, répondit la jeune femme en posant délicatement une main sur son ventre.

La comtesse parut suffoquer.

– Balivernes ! Vous ne pouvez être enceinte. Vous vous êtes mariés hier, et même si vous vous êtes arrêtés dans une auberge sur la route, comment sauriez-vous si vite...

– Vous oubliez la réputation de votre fils, Lady Miriam. Nicholas est un séducteur hors pair. Je n'ai pas pu résister à son charme. J'en suis déjà au quatrième mois.

La comtesse lança un regard sceptique vers sa taille fine.

– J'ai de la chance, n'est-ce pas ? reprit Reggie. Cela ne se voit pas.

– Vous trouvez que c'est de la chance ? rétorqua Miriam, hautaine. Les gens savent compter. Je trouve scandaleux que vous ne rougissiez même pas... Scandaleux !

– Je ne rougis pas, madame, car je n'éprouve aucune honte, répliqua sèchement Reggie. Ni honte, ni remords. Et si mon enfant ne naît que cinq mois après mon mariage... eh bien d'autres sont nés beaucoup plus tôt. Au moins, j'ai un mari... même s'il ne doit pas être souvent là. Et mon enfant a un nom. Si l'on songe à la réputation de votre fils, personne ne sera surpris d'apprendre qu'il n'a pas su se contenir pendant les quatre longs mois de nos fiançailles.

– C'est... choquant !

– N'est-ce pas ?

Miriam Eden devint écarlate et se rua hors de la pièce. Reggie soupira. Eh bien, voilà une cohabitation qui commençait bien ! Elle n'aurait pas dû se montrer aussi sarcastique avec un tel dragon mais... Reggie sourit. Après tout, c'était la comtesse qui avait entamé les hostilités.

22

– Tu as pris un peu de poids, non, mon chou ? demanda Anthony en embrassant Reggie avant de s'asseoir près d'elle sur l'herbe fraîche. On mange souvent trop quand on est malheureux. Et vivre avec cette mégère, ça ne doit pas être le paradis.

Reggie posa son carnet de croquis et sourit affectueusement à son oncle.

– Si c'est de Miriam que tu parles, elle n'est pas si terrible. Au bout de deux disputes, nous sommes parvenues à un accord. C'est simple : nous ne nous parlons plus.

– Ce doit être le seul moyen de la supporter, répliqua Anthony d'un ton sinistre.

Reggie éclata de rire.

– Oh, Tony, tu m'as tellement manqué ce mois-ci ! J'espérais vraiment que tu viendrais plus tôt.

– Si j'étais venu, tu n'aurais pas été ravie de me voir. Il m'a fallu tout ce temps pour me calmer après avoir appris ce qu'il t'a fait.

Elle soupira.

– Tu avais à nouveau envie de le tuer ?

– Ah ça, oui ! J'ai même essayé de le retrouver, mais il a disparu.

– J'aurais pu t'épargner tes recherches. Il m'a dit qu'il voulait quitter l'Angleterre. Apparemment, il a mis sa menace à exécution.

– Nous ferions mieux de parler d'autre chose, mon chou. Ton mari n'est pas mon sujet de conversation préféré. Que dessines-tu ?

Elle lui montra sa dernière esquisse.

– Juste un chien chassant parmi des feuilles mortes. Il a disparu dans le bois avant ton arrivée. J'ai réussi à faire quelques bons croquis des jardiniers et des palefreniers avec leurs chevaux.

Il tournait les pages, admirant son travail. Elle avait le trait sûr et évocateur.

– Ah, voilà Sir Tyrwhitt, un voisin, commenta-t-elle tandis qu'il s'arrêtait sur le portrait d'un dandy déjà assez âgé. J'ai bien l'impression que la comtesse et lui...

– Non !

– Oh, je ne suis sûre de rien, mais dès qu'il se montre, elle se transforme. On dirait une jeune fille, tu imagines ?

– Non, répondit-il fermement.

Reggie éclata de rire.

– Et voilà Gibbs et sa jeune femme Faith. Elle est adorable. Miriam est furieuse que nous soyons devenues si bonnes amies. Tu comprends, une invitation à Silverley est un honneur rarement accordé, aussi, quand j'ai accueilli Faith à bras ouverts, la comtesse a gardé la chambre pendant deux jours pour marquer son mécontentement.

– Elle ne tient pas à se mêler à des gens de plus basse extraction, hein ?

– Son rang est une chose essentielle pour elle.

Tony tourna une autre page.
– Seigneur, qui sont ces deux-là ?
– Deux jardiniers, sans doute. Il y a tellement de domestiques ici que je m'y perds. Je ne les ai même pas encore tous rencontrés. J'ai dessiné ces deux hommes hier en me promenant près du lac.
– Tu devais être particulièrement morose. Tu leur as donné un air sinistre.
Elle haussa les épaules.
– Je n'étais pas morose. Ils *étaient* sinistres. Ils sont partis dès qu'ils ont vu que je les dessinais. J'ai fini de mémoire.
– Ils ressemblent moins à des jardiniers qu'à des canailles du port.
– Bah... tout le monde ici est vraiment très gentil. Il suffit de les connaître un peu.
– Mais pas la mégère.
– Tu es injuste avec elle, Tony. Je ne crois pas que sa vie ait été heureuse.
– Ce n'est pas une raison pour faire supporter son malheur aux autres. Et puisqu'on en parle...
– Non, l'arrêta-t-elle aussitôt. Je vais très bien, Tony. Très, très bien.
– Inutile de me mentir, mon chou. Regarde-toi. Tu ne grossirais pas ainsi si tu prenais de l'exercice. Et c'est toujours quand tu es malheureuse que tu restes enfermée à ne rien faire. Je te connais, va. Tu es comme ta mère. Mais tu n'es pas forcée de rester ici. Tu peux revenir chez moi.
– Je sais que j'ai commis une erreur, Tony, mais je n'ai aucune envie que le monde l'apprenne. Tu comprends ?
– Pour préserver sa réputation ?
– Non, répondit-elle avant d'ajouter d'un ton

hésitant : Cette prise de poids n'est pas due à ce que tu crois, Tony. Je suis enceinte.

Il en resta bouche bée quelques secondes.

– Impossible ! C'est trop tôt. Le mariage date d'un mois à peine.

– Je *suis* enceinte, Tony. Sans le moindre doute.

Les yeux cobalt de son oncle, si semblables aux siens, s'agrandirent démesurément. Une flamme féroce y brilla.

– Le salaud ! Je vais le tuer !

– Oh non, tu ne feras rien de tel. Comment expliquerais-tu à ton petit-neveu ou à ta petite-nièce que tu as tué son père ?

– Il mérite une bonne correction en tout cas.

– Peut-être. Mais pas pour m'avoir séduite avant le mariage. J'étais parfaitement consentante.

– Arrête de le défendre. Tu oublies qu'il est exactement comme moi et que je connais tous ses trucs. Il t'a séduite.

– Mais je savais très précisément ce que je faisais, insista-t-elle. Je... C'était sans doute une folie, je m'en rends compte à présent, mais je croyais que cela le ferait changer d'avis. Il ne m'a jamais menti : il a toujours affirmé qu'il ne voulait pas m'épouser.

– Il a accepté !

– Oui, mais il pensait pouvoir me pousser à rompre.

– Tu aurais dû.

– Peut-être, mais je ne l'ai pas fait, Tony.

– Je sais, je sais. Mais au diable tout ça, Reggie. Comment a-t-il pu t'abandonner, sachant...

– Je ne lui ai rien dit ! Tu ne crois tout de même pas que j'essaierais de garder un homme de cette façon ?

Elle semblait sincèrement choquée.

– Oh, marmonna Anthony. Honnêtement, mon chou, tu es vraiment comme ta mère. Melissa t'a mise au monde quelques semaines seulement après le mariage.

Reggie tressaillit.

– Comment ? Et vous ne me l'avez jamais dit ?

Ecarlate, Anthony évita son regard.

– Eh bien, c'était difficile de te dire que tu avais failli ne pas être une enfant légitime.

Elle gloussa et se pencha pour déposer un baiser sur sa joue.

– Je te remercie de me le dire maintenant, Tony. Je suis contente d'apprendre que je ne suis pas la seule à avoir eu une conduite déplacée...

– Mais ton père n'a jamais abandonné Melissa ! Il l'adorait. Il l'aurait épousée plus tôt si, à cause de sa satanée fierté, elle ne l'avait pas repoussé aussi longtemps.

– Je n'en savais rien, murmura-t-elle, émue.

– Ils avaient des disputes terribles. Elle a rompu les fiançailles trois fois. Et à chaque fois, elle jurait de ne plus jamais le revoir.

– Mais tout le monde m'a toujours dit et répété qu'ils s'aimaient à la folie, protesta-t-elle.

– C'est la vérité, mon chou. Ils s'aimaient vraiment. Mais elle avait un aussi sale caractère que moi. Le moindre petit désaccord, et, pffui, elle devenait enragée. Dieu merci, sur ce plan-là, tu ne lui ressembles pas.

– Oh, je n'en sais rien, fit Reggie, pensive. Si jamais il revient, je ne lui pardonnerai pas. Il m'a courtisée, il s'est débrouillé pour que je l'aime, et après cela il n'a pas donné la moindre chance à notre mariage. J'ai quand même un peu de fierté, même si je l'ai pratiquement supplié de ne pas partir. Ce n'est plus de l'amour que j'ai pour lui, c'est de... de la colère.

– Tant mieux. Ecoute, réfléchis à ma proposition. Tu peux revenir à la maison. De toute manière, ta famille doit être autour de toi à la naissance. Nous te protégerons.

– Eh bien, j'ai Meg et je...

– Penses-y, ordonna-t-il, exaspéré.

Elle lui sourit.

– Oui, mon oncle.

23

C'était une nouvelle matinée humide de novembre et Reggie se dirigeait vers le lac, son carnet de croquis à la main. Oncle Tony avait passé la nuit à la maison et était reparti au matin. Non sans lui avoir redemandé de réfléchir à sa proposition de venir s'installer chez lui. Elle avait acquiescé. En fait, elle commençait à se dire que ce n'était pas une si mauvaise idée de retourner à Londres, sinon chez Tony, du moins dans la maison de Nicholas. Les apparences seraient sauvegardées et elle aurait enfin quelque chose à faire, maintenant que ses activités physiques allaient se réduire considérablement. Elle pourrait redécorer sa demeure en ville, dépenser l'argent de son mari.

Le problème était qu'elle appréciait énormément la tranquillité de Silverley. Du moins quand Miriam n'était pas là. Reggie s'entendait à merveille avec les domestiques. Même Mme Oates s'était étonnamment amadouée en apprenant qu'elle attendait un bébé. Visiblement, cette chère dame adorait les enfants. Qui s'en serait douté ?

Reggie contempla la grande maison vide avec nostalgie. Elle aurait pu être heureuse ici. Elle imaginait ses enfants courant dans les prairies, poussant leurs petits bateaux sur le lac en été, faisant du patin à glace en hiver. Elle voyait même leur père leur donner leur premier poney, les aider à faire leurs premiers pas. Elle soupira, resserrant sa capuche sur ses épaules. Des nuages lourds stagnaient dans le ciel. Meg avait raison : il commençait à faire trop froid pour dessiner dehors.

Elle décida de rentrer. Elle dessinerait le lac une autre fois. C'est alors qu'elle vit un des domestiques sortir du bois et venir vers elle.

Comme il approchait, elle reconnut un des deux hommes dont elle avait fait le portrait l'autre jour. Il portait un immense sac en toile qui devait lui servir, pensa-t-elle, à ramasser les feuilles mortes. Quelque chose en lui était bizarre. Une vague impression de danger la saisit.

C'était peut-être à cause de ses longs cheveux sales et de sa barbe en broussaille, ou bien de son pas déterminé. Elle décida de ne pas l'attendre et de courir jusqu'à la maison.

Elle s'arrêta, se traitant de lâche. Elle avait trop d'imagination. C'était ridicule. Il ne s'agissait que d'un jardinier, après tout.

L'homme la rejoignit. Il observa une brève pause pour reprendre son souffle puis, d'un geste calme, lui passa le sac sur la tête et les épaules. Totalement prise de court, Reggie ne hurla pas aussitôt, si bien qu'elle se retrouva proprement emballée en un clin d'œil. Ses cris furent étouffés par l'épaisse toile.

Sans perdre de temps, son assaillant la chargea sur son épaule et repartit en courant vers le bois. Une voiture luxueuse attendait là, bien cachée. Un cocher se tenait prêt à faire claquer son fouet. L'arrivant lui lança un regard mauvais.

– Descends tes fesses de là et ouvre-moi c'te porte, la Grenouille. Elle pèse son poids.

Henri, un Français surnommé la Grenouille par ses acolytes, ricana. Si Artie prenait le temps de chicaner c'est qu'il n'y avait aucun risque.

– On vous a pas vus ?

– Non. Allez, file-moi un coup d'main. Tu sais qu'le capitaine veut qu'on la traite comme y faut.

Ils posèrent Reggie sur un siège capitonné, avant de nouer une corde autour de ses genoux pour l'empêcher de se libérer.

– Y va être content. Y pensait pas qu'on l'attra-p'rait si vite.

– Ben quoi, la Grenouille, t'avais envie de t'geler pendant des s'maines dans ces bois ? J't'avais dit qu'y suffisait d'la surveiller et t'as vu ? Elle est v'nue se j'ter tout droit dans nos bras. L'capitaine va être aux anges.

– Il a un faible pour elle ?

– Pour sûr.

– Alors, y vaut mieux pas la toucher.

– T'as intérêt, si tu veux pas qu'y t'étripe.

Artie prit la place du cocher et le Français monta dans la cabine pour veiller à ce que leur prise ne tombât pas du siège. La voiture ne tarda pas à s'ébranler.

Reggie réfléchissait à toute allure. Il s'agissait d'un enlèvement. Ils obtiendraient leur rançon et elle pourrait rentrer chez elle. Elle n'avait pas d'inquiétudes à avoir.

Malheureusement, son corps n'était pas aussi rassuré. Elle tremblait violemment. Ils avaient parlé d'un capitaine qui voulait qu'on la traitât correctement. Et si ce n'était pas un simple enlèvement ?

Le trajet ne dura pas plus d'une demi-heure et elle reconnut l'odeur de la mer.

– Y en a plus pour longtemps, chérie. Bientôt, tu s'ras confortablement installée à la maison, annonça son ravisseur.

La voiture s'arrêta et on la sortit avec précaution. C'était l'Anglais qui la portait. Curieusement, elle n'entendit ni le bruissement des vagues, ni les craquements d'un bateau. Où se trouvaient-ils ? Ils gravirent des marches. Puis une porte s'ouvrit.

– Sacré nom, Artie, tu l'as déjà attrapée ?

– Hé, c'est pas un sac de farine que j'trimballe, mon gars ! J'la mets où ?

– Il y a une chambre à l'étage. Tu ne veux pas que je la porte ?

– J'peux t'frictionner les oreilles sans la lâcher. Tu veux essayer ?

Un rire retentit.

– Tu es trop susceptible, Artie. Viens, je vais te montrer la chambre.

– Où est l'capitaine ?

– Il ne reviendra pas avant ce soir. Ce qui veut dire que c'est à moi de m'occuper d'elle.

– Eh, la Grenouille, t'entends ce jeune blanc-bec ? Compte pas là-d'ssus, gamin. On va pas t'la laisser. T'as p'têt' dans l'idée qu'tu peux t'amuser avec elle sans risque parc'que l'capitaine est ton paternel. A ta place, j'y penserais plus, en tout cas pas tant que j'suis là.

– J'ai dit m'occuper d'elle, pas *m'occuper* avec elle, répliqua le jeune homme.

– C'est-y-pas qu'le gamin y rougirait, la Grenouille ? Non, mais t'as vu comme il est rouge ?

– Du calme, petit, intervint Henri. Tu as mis sa force en doute. Et Artie, y croit avoir les plus gros biscoteaux.

– Bon... au moins, laissez-moi voir à quoi elle ressemble.

– Oh, pour ça, elle est mignonne, mon gars, gloussa Artie. En fait, quand l'capitaine va la voir, y risque d'oublier c'qu'y voulait faire d'elle et s'la garder pour lui tout seul. Pour sûr.

Ils la portèrent dans une chambre à l'étage. Quand ils la posèrent sur ses pieds, elle tituba et faillit tomber. Ils dénouèrent la corde et enlevèrent le sac. Il faisait si sombre dans la pièce minuscule aux volets clos qu'elle ne vit pas grand-chose pendant quelques instants.

Elle commença par respirer un bon coup. Puis elle examina les trois hommes qui se dirigeaient vers la porte. Le plus jeune la regardait par-dessus son épaule.

– Un moment, si vous voulez bien ! s'exclama-t-elle. J'exige de savoir pourquoi on m'a amenée ici.

– L'capitaine vous dira ça quand y s'ra là, m'dame.

– Et qui est le capitaine ?

– Y vous l'dira lui-même s'il en a envie. Nous, on donne pas d'noms.

– Pourtant, je connais le vôtre, Artie. Et j'ai même...

Elle s'interrompit juste à temps : elle avait failli leur révéler qu'elle avait fait leur portrait.

– Je veux simplement savoir pourquoi je suis ici.

– Faudra attendre l'capitaine, ma jolie. Bon, y a une lampe sur la table et on va vous donner à manger. Z'avez qu'à faire comme chez vous.

Furieuse, elle leur tourna le dos. La porte se referma et une clé tourna dans la serrure. Reggie soupira. Au moins, elle n'avait pas pleuré, ni supplié. Elle n'avait pas montré sa peur. Une Malory ne s'effondrait jamais.

Elle se laissa tomber dans une chaise en piteux état, en se demandant si cette minuscule victoire n'était pas la dernière qu'elle remporterait.

24

La nourriture était délicieuse et, malgré sa nervosité, Reggie lui fit honneur. Elle dévora le pâté de pigeon, le pudding et les gâteaux au safran. On lui apporta aussi un vin excellent. Mais, à peine le repas terminé, son inquiétude reprit le dessus.

C'était Henri qui l'avait servie. Il portait une chemise de soie froissée, des pantalons noirs et des cuissardes en cuir. Seigneur, il ne lui manquait que la boucle d'oreille ! Il arborait même la moustache de rigueur chez les marins et les corsaires.

Des vêtements féminins, visiblement neufs, étaient étalés sur le lit : une robe de chambre en soie, une chemise de nuit discrète, des pantoufles fourrées et même – ce qui l'embarrassa – quelques dessous. Sur la table de toilette, on avait posé une brosse, un peigne et un luxueux flacon de parfum, flambant neufs eux aussi.

Le jeune homme était venu plus tôt dans l'après-midi allumer le feu, sous l'œil vigilant d'Artie. Il lui avait souri d'un air timide. Elle lui avait décoché un regard glacé, avant de l'ignorer superbement.

Il faisait sombre à présent mais elle refusait de

se coucher. S'il le fallait, elle ne fermerait pas l'œil de la nuit. Elle tenait à rencontrer ce capitaine pour lui exposer sa façon de penser.

Elle jeta une nouvelle bûche dans le feu puis s'installa sur une chaise près de la cheminée. Une agréable chaleur régnait et Reggie commença à somnoler.

Elle faillit ne pas entendre la clé tourner dans la serrure. Le bruit la fit tressaillir mais elle refusa de se tourner vers la porte.

– Mon fils me dit que vous êtes une splendeur, annonça une voix profonde. Laissez-moi voir ce qui l'a si fortement impressionné. Présentez-vous, Lady Montieth.

Elle se dressa et, très lentement, se retourna pour le regarder. Choquée, elle ouvrit de grands yeux.

– Oncle James !

– Regan !

Elle fut la première à retrouver ses esprits.

– Oh, mon oncle ! Tu ne vas pas encore me kidnapper pour passer trois mois de vacances à bord du *Maiden Anne* ? Je suis un peu trop vieille pour ça, non ?

Confus au point d'en être comique, il ouvrit les bras.

– Viens ici, ma chérie, et embrasse-moi. Seigneur, tu es devenue une vraie beauté.

Elle l'enlaça chaleureusement.

– Eh bien, cela fait trois ans, oncle James. Et encore, la dernière fois je ne t'ai vu qu'une heure. Ce n'est pas juste, tu sais, de devoir se cacher pour voir son oncle. Il est temps que tu fasses la paix avec tes frères.

– Même si j'en avais envie, je ne crois pas qu'ils le désirent, Regan.

Il avait toujours aimé être différent au point de donner à sa nièce un nom spécial. Son oncle le pirate l'avait enlevée au nez et à la barbe de ses frères quand ceux-ci lui avaient interdit de la voir. Il l'avait emmenée à bord de son navire, l'entraînant dans de fabuleuses aventures. Il estimait qu'il avait autant le droit que les autres de passer du temps avec elle. Elle avait douze ans à l'époque et ces trois mois incroyables étaient encore très vivaces dans son esprit.

Bien sûr, ils en avaient tous deux payé le prix. James était déjà en disgrâce pour acte de piraterie. Quand il avait ramené Reggie, ses trois frères lui avaient infligé une sévère correction. Jason, Edward et même Tony, qui avait toujours été si proche de lui, l'avaient répudié. James en avait beaucoup souffert.

Reggie s'écarta pour mieux l'examiner. Il n'avait pas beaucoup changé depuis trois ans. Il était toujours grand et blond, plus séduisant que jamais... et toujours aussi fou. Il venait quand même de la faire kidnapper !

– Je ne devrais même pas te parler, gronda-t-elle. A cause de toi, j'ai eu une peur de tous les diables. Tes hommes auraient pu m'apprendre qu'ils travaillaient pour le compte du terrible capitaine Hawke.

James acquiesça farouchement et plissa les yeux.

– Je vais les écorcher vifs, tu peux en être certaine ! Par l'enfer !

Il ouvrit violemment la porte et rugit :

– Artie ! Henri !

– Non, mon oncle, protesta Reggie.

A la différence de Tony, James, quand il était furieux, ne pouvait être raisonné. Même Jason – un vrai taureau enragé quand il s'énervait – n'était pas aussi effrayant que James Malory.

– Oncle James, tes hommes ont été très gentils avec moi, ils ont veillé à mon confort. Ils ne m'ont pas fait peur, mentit-elle.

– Je n'accepterai aucune excuse, Reggie. Ils ont commis une erreur.

Elle haussa un sourcil.

– Tu veux dire qu'ils ne devaient pas m'amener ici ?

– Bien sûr que non.

Les deux compères apparurent sur le seuil de la porte, visiblement mal à l'aise.

– Vous vouliez nous voir, cap'taine ?

– Savez-vous qui est cette jeune femme ? demanda James d'une voix trop douce.

Henri fut le premier à deviner le problème.

– Ce n'est pas la bonne personne ?

D'un geste théâtral, James désigna Reggie.

– Puis-je, messieurs, vous présenter... (il explosa à nouveau) *... ma nièce !*

– *Merde !*

– Ouh la la, renchérit Artie.

Un nouvel arrivant apparut à la porte.

– Pourquoi diable hurles-tu comme ça, Hawke ?

– Connie ! s'écria Reggie, ravie, en se jetant dans ses bras.

Voici l'homme qui lui avait appris l'escrime, à grimper en haut d'un mât, et même à barrer un navire quand son oncle n'était pas sur le pont pour les voir. Connie Sharpe, le meilleur ami de James depuis l'enfance, était à présent son second sur le

Maiden Anne. Jamais pirate plus hargneux ni plus adorable n'avait sillonné les mers.

– C'est bien toi, petit monstre ? rugit Connie. Nom d'une queue de sirène, c'est bien elle !

Il la serra dans ses bras à lui briser les côtes

– Ça fait des années et des années !

– Pour sûr ! fit Connie avant d'apercevoir enfin la mine enragée de James.

Il s'éclaircit la gorge et reprit :

– Euh... je ne pense pas que tu devrais être ici, Regan.

– C'est ce que j'ai cru comprendre. (Elle se retourna vers James.) Eh bien, mon oncle, voilà les canailles. Vas-tu les fouetter ? Si oui, je veux y assister.

– Regan !

– Oh, tu n'en as pas l'intention ? (Elle jeta un coup d'œil aux deux hommes.) Eh bien, messieurs, vous avez une chance extraordinaire que mon oncle soit d'humeur aussi charitable. Vous vous en sortez bien. Je vous aurais arraché la peau du dos, soyez-en sûrs.

– D'accord, Regan, tu as gagné, céda James en faisant signe à Artie et à Henri de quitter la pièce.

– Elle n'a pas changé, hein, Hawke ? ricana Conrad quand la porte se fut refermée.

– Elle est rusée comme une belette.

Reggie leur offrit son plus large sourire.

– Mais vous êtes quand même contents de me voir ?

– J'en sais trop rien.

– Oncle James !

– Bien sûr, mon cœur, dit-il avec le vrai sourire, qu'il réservait à ceux qu'il aimait. Mais tu vas nous poser un petit problème. Ils vont se méfier maintenant à Silverley.

– Tu veux bien me dire de quoi il retourne ?

– Cela ne te concerne pas, Regan.

– Arrête, mon oncle. Je ne suis plus une enfant.

Il grimaça gaiement.

– C'est ce que je vois. Regarde-la, Connie. C'est le portrait craché de ma sœur, tu ne trouves pas ?

– Et quand je pense qu'elle aurait pu être ma fille, bougonna Connie.

– Oh, Connie, toi aussi ? demanda Reggie avec douceur.

– Tout le monde aimait ta mère, petit monstre, même moi, admit Connie.

– C'est pour ça que tu m'as prise sous ton aile ?

– Faux. Tu as su toute seule te faire ta place dans mon cœur.

– Alors, peut-être me diras-tu ce que vous manigancez ?

Connie secoua la tête en souriant.

– Non, petite. (Il se tourna vers James.) C'est lui le responsable. Si tu veux tout savoir, c'est lui que tu dois regarder avec tes grands yeux si bleus.

– Oncle James ?

– Il s'agit... d'une affaire qui n'a pas été menée à son terme. Ne te fais aucun souci.

– Mais la comtesse n'est-elle pas un peu trop vieille pour toi ?

– Ce n'est pas ça du tout, Regan. Comment ça, trop vieille ? ajouta-t-il, perplexe.

– Oh, ce n'est pas tout à fait une vieillarde, corrigea Reggie. Elle prend soin d'elle-même. Mais je ne vois pas ce que tu pourrais avoir à faire avec elle.

– Avec elle, rien. Mais avec son mari.

– Il est mort.

– Mort ? Mort ! (James regarda Connie.) Bon sang ! Il ne peut pas être mort !

Ebahie, Reggie se tourna vers Connie.

– Il a un compte à régler, petite, expliqua le second. Il semble bien que le sort s'en soit chargé.

– Quand est-il mort ? demanda James avec hargne. Comment ?

– Eh bien, je n'en sais trop rien. Cela fait déjà pas mal d'années.

La fureur de James se mua en surprise. Puis les deux hommes éclatèrent de rire, plongeant Reggie dans la plus extrême confusion.

– Ah, mon cœur, tu m'as bien eu. Je ne crois pas que nous parlions du même homme. C'est le jeune vicomte que je veux.

– Nicholas Eden ?

– Exactement. Tu le connais ?

– Très bien.

– Alors tu peux peut-être me dire où il est. Personne ne sait où se cache cet abruti. J'ai cherché partout. J'ai l'impression qu'il me fuit... et avec de bonnes raisons.

– Seigneur tout-puissant ! s'étrangla Reggie. Tu m'as fait enlever pour attirer Nicholas ?

– Pas toi, mon cœur, la rassura James. Ces idiots ont cru que tu étais la femme d'Eden.

Reggie se posta prudemment derrière Connie, respira profondément puis annonça d'une voix hésitante :

– Oncle James, tes hommes ne se sont pas trompés.

– Ils...

– ... ne ne sont pas trompés. Je suis la femme de Nicholas.

Un silence terrible s'abattit dans la pièce. Connie passa un bras protecteur autour des épaules de Reggie et tous deux attendirent l'explosion. Mais soudain, la porte s'ouvrit brusquement et le jeune garçon se rua à l'intérieur de la chambre.

– Henri vient de me dire que c'est ma cousine ! C'est vrai ?

James le foudroya du regard.

– Pas maintenant, Jeremy !

Le garçon sursauta.

– Non ! Ne pars pas, Jeremy. (Reggie le saisit par le bras et l'attira vers elle.) Oncle James est furieux après moi, pas après toi.

– Je ne suis pas furieux après toi, Regan.

Il contrôlait difficilement sa voix.

– Tu allais te mettre à hurler.

– Je n'allais pas me mettre à hurler ! hurla-t-il.

– Ah, quel soulagement ! ironisa la jeune femme.

James ouvrit la bouche, la referma avant de soupirer, exaspéré. Son regard croisa celui de Conrad. Le message était clair : *Occupe-toi d'elle. Moi, j'abandonne.*

Conrad fit les présentations :

– Jeremy Malory, Regina Mal... euh... Eden, comtesse de Montieth.

Jeremy ne parvint pas à dissimuler son sourire.

– Par les feux de l'enfer ! Voilà pourquoi il est fou furieux.

– Oui, il ne doit pas apprécier que... Bah, peu importe.

Elle sourit au beau jeune homme dont les cheveux et les yeux étaient si semblables aux siens.

– Je ne t'avais pas bien regardé jusqu'ici. Seigneur, tu ressembles à Tony quand il était plus jeune ! (Elle se tourna vers James.) Comptais-tu nous cacher son existence encore longtemps, mon oncle ?

– Je ne cache rien du tout, rétorqua-t-il, maussade.

– La famille n'en sait rien.

– Moi-même, j'ai découvert son existence il y a à peine cinq ans. Et mes frères et moi, nous ne sommes pas dans les meilleurs termes.

– Tu aurais pu m'en parler lors de notre dernière rencontre.

– Ce n'était pas le moment, Regan. Tu imagines : « Au fait, j'ai un fils. » Tu m'aurais posé des tas de questions, et pendant ce temps-là les hommes de Jason nous couraient après.

– Peut-être. Mais comment l'as-tu retrouvé ? C'était il y a cinq ans ?

– Un petit peu moins, en fait. Je suis tombé sur lui dans une taverne où il travaillait.

– Tu aurais dû voir la tête de ton oncle, petite, ajouta Connie, hilare. Le visage de ce garçon lui disait bien quelque chose mais il ne savait pas quoi. Et Jeremy qui le dévorait du regard !

– Je l'avais reconnu, vous comprenez, intervint Jeremy. Je ne l'avais jamais rencontré, mais m'man ne l'avait si souvent décrit que je l'aurais reconnu n'importe où. J'ai finalement osé lui demander s'il était bien James Malory.

– Tu imagines sa réaction, enchaîna Conrad. Sur les quais, on ne connaît que le capitaine Hawke et voilà ce gamin, ce demi-sel, qui l'appelle par son vrai nom ! Et pour couronner le tout, il lui annonce qu'il est son fils ! Hawke ne rigolait pas. Mais quelques questions l'ont convaincu. Crois-moi, il était fier comme un paon de se retrouver papa d'un seul coup.

– Alors j'ai un nouveau cousin, fit Reggie, ravie. Oh, c'est merveilleux ! Bienvenue dans la famille, Jeremy.

Il était presque aussi grand que son père et Reggie dut se hausser sur la pointe des pieds pour l'embrasser sur la joue. Pour toute réponse, il la serra dans ses bras à l'étouffer. Et il ne voulait plus la lâcher.

– Ça suffit, Jeremy... Jeremy ! gronda son père.

Le garçon recula enfin.

– Dis, on peut épouser sa cousine ? demanda-t-il.

Connie s'esclaffa bruyamment. James grimaça d'un air farouche. Reggie rougit.

– Un autre dépravé dans la famille, n'est-ce pas mon oncle ?

– Apparemment, soupira James. Et il commence tôt.

– Il ne fait que suivre ton exemple, intervint tranquillement Connie.

– Ouais, eh bien maintenant il va aller au lit.

– Nom d'une baleine ! protesta Jeremy.

– Silence, ordonna James. Tu verras ta cousine demain matin, à condition que tu retrouves tes manières. Souviens-toi que c'est ta cousine, pas une traînée du port.

Cette remontrance ne démonta nullement le jeune homme. Il adressa un sourire coquin et un clin d'œil à Reggie.

– Je rêverai de vous, douce Regan, cette nuit et toutes celles qui suivront.

Elle faillit éclater de rire. Quelle audace ! Elle le toisa sévèrement.

– Ne sois pas ridicule, cousin. Tu m'as serrée assez fort pour te rendre compte de mon état...

Elle laissa échapper un gémissement. Imbécile, pensa-t-elle, tu ne sais pas tenir ta langue. Jeremy risqua un regard prudent vers son père puis disparut en un clin d'œil. Reggie se préparait au pire, certaine que James n'avait pas manqué l'allusion.

– C'est vrai ?

– Oui.

– Qu'il pourrisse en enfer ! Comment cela a-t-il pu arriver, Regan ? Comment diable as-tu pu épouser ce... ce...

– Tu es comme Tony, le coupa-t-elle. Vous voulez tous étriper Nicholas. Eh bien trouvez-le, coupez-le en morceaux, partagez-le entre vous quatre, tuez-le, achevez-le. Qu'est-ce que cela peut me faire ? Il n'est que mon mari et le père de mon enfant.

– Doucement, petite, intervint Connie avec tendresse. Ton oncle a abandonné ses plans depuis qu'il sait que tu l'as épousé.

– Quels plans ? demanda-t-elle. De quoi s'agit-il, oncle James ?

– C'est une longue histoire, mon cœur, et...

– S'il te plaît, arrête de me traiter comme une enfant.

– Très bien. En résumé, je lui ai donné une bonne raclée en compensation de quelques insultes qu'il m'avait faites. Pour cela, j'ai fini en prison.

– Et il a bien failli être pendu, ajouta Connie.

– Non ! s'exclama Reggie. Je n'arrive pas à croire que Nicholas...

– Il l'a dénoncé aux autorités, petite. Hawke a été jugé pour piraterie. Il est parvenu à s'enfuir, et ce n'est pas grâce à Montieth.

– Tu comprends pourquoi les hommes ont évité de prononcer mon nom devant toi, poursuivit

James. Je dois faire semblant d'être mort, sinon je finirai au bout d'une corde. Je suis désolé, Regan. J'aurais préféré que tu ignores les bassesses de ton mari.

– Ne t'excuse pas, mon oncle, fit-elle sèchement. La seule chose qui m'étonne, c'est qu'on me rappelle aussi fréquemment à quel point je me suis trompée envers lui. Je n'arrive pas à comprendre comment j'ai pu croire que je l'aimais.

– Tu ne l'aimes pas ?

– Non. Et ne me regarde pas comme ça. Je ne l'aime vraiment pas.

– Est-ce qu'elle ne proteste pas un peu trop, Hawke ? fit Conrad en souriant.

– Ah, c'est ce que vous croyez ? s'emporta-t-elle. Eh bien, est-ce que *vous* aimeriez une femme qui vous abandonne le jour de vos noces ? Je ne le lui pardonnerai jamais – jamais ! Même s'il ne voulait pas m'épouser, même s'il avait ses raisons, il a été odieux de ne pas... Eh bien, il est tout simplement odieux.

Les deux hommes échangèrent un regard.

– Où est-il ? demanda James.

– Il a quitté l'Angleterre. Il ne pouvait même pas supporter l'idée de vivre dans le même pays que moi.

– Il possède des domaines ailleurs ?

Elle haussa les épaules, les larmes aux yeux.

– Un jour, il a parlé des Indes occidentales... mais quelle importance ? Il n'a pas l'intention de revenir. Il a été très clair là...

Elle s'arrêta tandis qu'un vacarme éclatait au rez-de-chaussée. James fit signe à Conrad d'aller voir ce qui se passait. Celui-ci ouvrit la porte, James sur ses talons et Reggie juste derrière lui.

Une bagarre se déroulait dans l'escalier entre Henri et... *Tony ?* Seigneur, c'était bien Tony ! Artie gisait à terre au bas des marches. Henri était sur le point de le rejoindre.

Reggie se fraya un chemin entre James et Conrad.

– Tony, arrête !

Anthony la vit et lâcha Henri qui s'effondra mollement contre la rampe.

– Ah, j'avais raison ! s'écria Tony en foudroyant son frère du regard. Tu n'as pas retenu la leçon, hein, James ?

– Puis-je te demander comment tu nous as trouvés ? interrogea celui-ci avec calme.

– Rien du tout ! rétorqua Anthony.

– Tony, tu ne comprends pas... commença-t-elle.

– Reggie !

Elle serra les dents. Tony était si obstiné. Mais l'occasion était trop belle, elle ne pouvait la laisser passer. Les frères étaient réunis, c'était le moment ou jamais de mettre un terme à leur querelle. D'abord il fallait calmer Tony. Comment ?

– Ooohhhh ! gémit-elle en s'accrochant d'une main à James tout en portant l'autre à son ventre. J'ai... Ooohhhh ! J'ai si mal ! Tout cet énervement... Un lit, s'il vous plaît. Vite !

James la souleva gentiment dans ses bras tout en esquissant une moue dubitative. Reggie l'ignora et geignit de plus belle, avec un certain succès.

Jeremy surgit dans le couloir en essayant d'enfoncer sa chemise dans son pantalon.

– Que se passe-t-il ? Qu'est-ce qu'elle a ?

Personne ne lui répondit. James et Conrad se précipitèrent dans la chambre. Anthony les suivit.

– Qui êtes-vous ? demanda Jeremy au moment où ils se croisaient.

Anthony se figea sur place. Il n'avait accordé qu'un simple coup d'œil au garçon mais cela avait suffi. C'était comme se regarder dans un miroir du passé.

– Et toi, par tous les diables ?

Conrad éclata de rire et apparut sur le pas de la porte.

– Il n'est pas de toi, si c'est ce que tu penses, Anthony. Mais il fait partie de la famille. C'est le fils de James.

L'oncle et le neveu sursautèrent avec un bel ensemble.

– Oncle Tony ? Bon sang de bois ! Dire que je pensais ne jamais rencontrer les parents de mon père ! Et voilà d'abord Regan, et toi ensuite, en une seule nuit.

Il serra Anthony dans une étreinte d'ours. Tony agrippa les épaules du garçon et lui rendit son étreinte, à la grande surprise de Conrad.

– Ne t'éloigne pas, gamin, grommela-t-il en pénétrant dans la chambre.

Voyant Reggie allongée et James à ses côtés, sa fureur se réveilla.

– Tu devrais avoir honte, James ! L'avoir traînée ici dans son état !

– Il ne m'a pas traînée ici, protesta Reggie.

– Ne mens pas pour moi, mon cœur, intervint James en se levant pour faire face à son jeune frère. Tu as raison, Tony. J'aurais dû chercher à savoir qui était l'épouse de Montieth avant de la faire enlever.

Tony parut surpris, puis exaspéré.

– Une méprise ?

– Colossale.
– Ce n'est quand même pas une excuse, grogna Tony.
– Tout à fait d'accord.
– Tu pourrais arrêter d'être d'accord avec moi ?
James ricana.
– Tu n'as pas besoin d'excuse pour me taper dessus. Si c'est ça qui te démange, frérot, ne te gêne pas.
– Non, oncle Tony, intervint Jeremy depuis la porte. Je ne voudrais pas avoir à me battre avec toi alors que je viens à peine de te retrouver.
– Il est très protecteur envers son vieux père, commenta Connie. Il le croit incapable de se défendre seul depuis le traitement que Montieth lui a infligé.
– Je croyais t'avoir dit d'aller te coucher, Jeremy, gronda James.
Mais c'était son second qu'il foudroyait du regard.
– N'as-tu pas dit que *tu* lui avais donné une bonne correction, mon oncle ? s'étonna Reggie.
– Oh, c'est ce qu'il a fait, petite, expliqua Connie, hilare. Il tenait encore debout – difficilement – alors que ton mari en était incapable, sans aucun doute.
– Sans aucun doute ?
Conrad haussa les épaules.
– Quand nous sommes partis, il était encore inconscient.
– Vous voulez dire que vous l'avez abandonné ? fit-elle, furieuse.
Conrad et James tressaillirent.
– Il a vite reçu de l'aide, Regan. Assez vite pour qu'une heure plus tard, on me jette en prison.

– Qu'est-ce que c'est que cette histoire ? s'écria Anthony.

– Oh, une histoire qui te plairait sûrement, fit Reggie, venimeuse. Tu n'es pas le seul à vouloir la peau de mon mari, à ce qu'il semble.

Anthony fronça les sourcils.

– Tu défends encore cette crapule ?

– C'est à moi de m'occuper de lui, rétorqua-t-elle, pas à vous. Vous n'avez pas à vous mêler de ça. Si Nicholas Eden revient un jour en Angleterre, je suis parfaitement capable de le lui faire amèrement regretter.

– Oh-oh, voilà une menace que je ne prendrais pas à la légère à sa place, approuva Anthony.

– Encore une fois, je suis d'accord avec toi, frérot, fit James en souriant. J'aurais presque envie qu'il revienne.

– Fameux ! s'exclama Reggie. Vous voilà enfin d'accord sur quelque chose.

– Ne te fais pas d'illusions, mon chou, répliqua Anthony. Je ne m'associe pas à des pirates qui enlèvent des petites filles.

– Oh, arrête, Tony ! s'irrita Reggie. Cela fait des années maintenant. Oublie cela.

– Qui avez-vous traité de pirate ? cracha soudain Jeremy.

– Ton père est un pirate, mon garçon, répondit Tony.

– Il ne l'est pas ! Il ne l'est plus !

Anthony se retourna vers James, dans l'attente d'une explication, mais celui-ci garda obstinément le silence. Ce fut Conrad qui prit la parole :

– Le *Maiden Anne* a terminé sa carrière peu après que Jeremy a rejoint l'équipage. On ne pouvait pas éduquer ce garçon à bord d'un vaisseau pirate, n'est-ce pas ? Les seuls voyages qu'il effectue à présent, c'est pour transporter notre récolte. Nous sommes devenus planteurs dans les îles.

– Est-ce vrai, James ? demanda une voix calme derrière eux.

– Oncle Jason ! s'écria Reggie.

Dans sa tenue de cavalier en cuir, il arborait un air redoutable.

– Ah, désolé, James, fit Anthony. J'ai oublié de te dire que les aînés me suivaient de près.

– Pas d'assez près, rétorqua Edward, haletant, apparaissant à son tour. Et tu n'avais pas besoin de nous semer, Anthony. Jolie maison que tu as là, James. Combien t'a-t-elle coûté ?

– Les affaires, toujours les affaires, hein Edward ? se moqua James. Pourriez-vous me dire comment diable vous m'avez retrouvé ? Et comment vous saviez que j'étais en Angleterre ?

– Grâce à Anthony, répondit Edward. Et à un dessin de Reggie. Ce matin, il est passé me dire qu'elle allait bien. C'est alors qu'il s'est souvenu où il avait vu l'homme dont elle avait fait un portrait. Un membre de ton équipage sur le *Maiden Anne*, il y a des années. Jason, qui venait d'arriver de Haverston, a deviné le reste.

– Mais comment avez-vous su qu'il fallait chercher ici ?

– Facile. C'est le port le plus proche de Silverley. Je pensais bien que tu serais assez fou pour faire mouiller ton navire ici, à Southampton.

– Pas si fou que ça, répliqua James, vexé. Il est ancré au large.

– C'est pour ça qu'on a eu tant de mal à vous retrouver. Mais Anthony n'abandonne pas facilement. Il a fouiné à travers toute la ville. Finalement, on a eu la chance de tomber sur quelqu'un qui t'a vu venir ici.

– Et maintenant ? interrogea James en fixant Jason droit dans les yeux. Vous voulez me donner une nouvelle leçon ?

– Bien sûr que non, oncle James, intervint très vite Reggie. Ils sont prêts à oublier le passé. Après tout, tu as abandonné la piraterie, tu t'es installé et tu as un fils magnifique. Je suis sûre qu'ils voudront lui souhaiter la bienvenue dans la famille.

– Un fils !

– Moi, annonça fièrement Jeremy en dévisageant Jason et Edward.

Reggie poursuivit avant qu'ils ne retrouvent leurs esprits :

– Je crois vraiment que je ne pourrai pas en supporter davantage aujourd'hui. Après tout ça, je risque de perdre mon bébé...

– Un bébé !

– Oh, Tony, tu ne leur as donc rien dit ? demanda-t-elle, innocente.

– Très bien joué, mon chou, apprécia Anthony en connaisseur. Je vois que tu as déjà récupéré de ton premier malaise.

– J'avais juste besoin de m'étendre un peu, vois-tu ?

Il secoua la tête, réprimant un éclat de rire.

– Je vois. Bon, je crois qu'on va essayer de faire la paix maintenant. Va te chercher une tasse de thé ou quelque chose et... emmène ton nouveau cousin avec toi.

– Oncle Jason ?

Elle n'eut pas besoin d'en dire plus. Il hocha la tête. Il n'avait plus son air de taureau enragé.

– Sors d'ici, Reggie. On ne peut pas en placer une quand tu es là.

Reggie sourit d'un air triomphal avant d'enlacer James.

– Bon retour dans la famille, oncle James.

– Regan, mon cœur, ne change jamais.

– Vous croyez que, vous quatre, vous me laisseriez changer ! (Elle prit son cousin par le bras.) Viens, cousin. Ton père va tout leur raconter, et toi tu me donneras ta version de l'histoire.

– Je ferais mieux d'aller avec eux, annonça Conrad.

Ils étaient à peine dans le couloir qu'ils entendirent une voix tonner derrière eux :

– Il faut toujours que tu ne fasses rien comme les autres, hein James ? (C'était Jason.) Elle ne s'appelle pas Regan !

– Ni Reggie ! Elle est trop grande pour Reggie. Regan convient mieux à une femme.

– J'ai l'impression que vous avez échoué, remarqua Jeremy. Ils ne vont pas se réconcilier.

– Tut-tut, gloussa-t-elle. Dis-lui, Connie.

– Elle a raison, petit. Ils sont heureux que quand ils se disputent.

– Alors imagine à quel point tu viens de les rendre heureux, renchérit Reggie avec sagesse. A présent, ils peuvent en plus se disputer à propos de ton éducation.

25

L'étalon au galop semait une traînée de poussière sur la piste. Les fleurs tropicales s'épanouissaient dans une profusion de couleurs. A moins d'un kilomètre, les vagues énormes de l'océan déferlaient sur la plage tout comme le brûlant soleil déferlait sur l'eau bleue à perte de vue.

Nicholas ne remarquait pas la beauté de cette journée d'avril. Il revenait du petit port de l'île où il avait rencontré le capitaine Bowdler qui lui avait confirmé que son navire serait prêt à lever l'ancre avec la marée du matin. Nicholas rentrait en Angleterre. Il rentrait auprès de Regina.

Six mois d'exil ne l'avaient pas aidé à l'oublier. Il avait essayé. Il avait passé son temps à remettre sur pied une plantation en piteux état, à semer, à cultiver la terre avec acharnement. Il ne s'était pas accordé une minute de répit, travaillant comme un fou, mais rien n'y avait fait. Regina était toujours en lui, à chaque instant, à chaque seconde. Cent fois déjà, il avait décidé de rentrer. Et cent fois il y avait renoncé. La situation n'avait pas changé, Miriam était toujours là, avec ses menaces.

Mais, durant tout ce temps, Nicholas avait nié

l'évidence : Regina devait maintenant savoir. Miriam n'avait sûrement pas pu vivre six mois avec elle sans lui révéler la vérité. Oui, elle devait savoir...

Cette certitude lui était soudain apparue la semaine précédente lors d'une soirée de beuverie avec le capitaine Bowdler. Il avait alors laissé échapper quelques confidences. Le marin, parfaitement objectif et tout aussi soûl que lui, avait fait remarquer qu'il ruminait ses idées noires sur son île comme un enfant enfermé à clé dans sa chambre. Il avait assez ruminé. Il était temps de rentrer et de voir ce qu'il en était. Si sa femme le détestait, eh bien tout serait terminé.

Et dans le cas contraire ? Telle était la question que lui avait posée le capitaine. Et si elle se fichait pas mal de l'opinion publique et ne le jugeait que selon ses propres mérites ? A la vérité, ces mérites étaient minces. Il l'avait traitée abominablement et c'était tout ce qu'elle avait à juger. D'autre part, elle ne l'avait épousé que par crainte du scandale. Il aurait aimé croire autre chose, mais c'était impossible.

Où cela le menait-il ? Nulle part. Tant qu'il ne serait pas rentré, il lui serait impossible de connaître l'étendue des dégâts.

Un gamin noir, pieds nus, courut hors de la vaste maison blanche pour lui prendre son cheval. C'était une réalité que Nicholas n'acceptait pas : l'esclavage. La seule chose qu'il haïssait dans ces îles.

– Trois invités, m'sieu. Au bureau, lui annonça la gouvernante.

Il la remercia et traversa le vaste hall d'entrée, un peu ennuyé. Qui étaient ces visiteurs ? Il devait encore terminer ses bagages et discuter avec le métayer.

Il pénétra dans la pénombre de son bureau. Les volets tirés offraient une mince protection contre la chaleur suffocante. Nicholas scruta les occupants des chaises entourant son bureau. Il ferma les yeux. C'était impossible !

– Dis-moi que tu n'es pas là, Hawke.

– Je ne suis pas là.

Nicholas traversa la pièce et s'installa derrière sa table.

– Alors, ça ne te dérangera pas si je t'ignore ?

– Tu vois, Jeremy, je te l'avais bien dit. Il cracherait dans l'œil du diable.

– C'est toute l'aide que tu as pu trouver ? fit sèchement Nicholas en désignant le jeune homme. Je ne m'attaque pas à des enfants.

– Tu ne sembles pas surpris de me voir, Montieth ? répliqua James d'un ton paisible.

– Je devrais ?

– Mais oui, mais oui. Tu as quitté l'Angleterre avant la pendaison.

– Ah, la pendaison. (Nicholas se renfonça dans sa chaise, souriant.) Ça a dû attirer une belle foule ?

– Vous trouvez ça amusant ? demanda Jeremy.

– Mon cher garçon, c'est ma propre stupidité que je trouve amusante. Si j'avais su que ce type allait passer sa vie à me poursuivre, je ne me serais pas arrangé pour que les gardes le laissent s'enfuir.

– Sacré menteur ! s'emporta violemment Conrad. Ces gardes étaient incorruptibles ! Je leur ai assez offert pour le savoir.

– Connie, c'est ça ?

– Pour toi, mon gars, ce sera monsieur Sharpe !

Nicholas ricana.

– Tu devrais savoir que l'argent n'est pas toujours la réponse adéquate. Cela aide aussi d'avoir les relations nécessaires.

– Pourquoi ? demanda doucement James.

– Oh, ne te fais aucune illusion, mes raisons étaient parfaitement égoïstes. Puisque je n'étais pas là pour assister à ta pendaison, j'ai décidé de priver la populace de ce plaisir. Si j'avais pu me débrouiller pour qu'elle soit reportée jusqu'à mon retour, crois-moi je l'aurais fait. Ne t'imagine surtout pas qu'il faut m'en remercier.

– Laisse-le-moi, Hawke, ragea Connie, incapable de dominer sa fureur. Elle n'en saura jamais rien.

– Si tu penses à ma gouvernante, la pauvre vieille fille a sûrement l'oreille collée à la porte en ce moment. Mais que cela ne te dissuade pas...

Conrad jaillit de sa chaise comme une balle mais son capitaine lui fit signe de s'arrêter. James examina pensivement Nicholas durant de longues secondes, le jaugeant avec intensité. Puis il éclata de rire.

– Je ne te crois pas, Montieth. Mais je me demande quels étaient tes vrais motifs. Tu pensais peut-être que nous serions quittes si tu me sortais du pétrin où tu m'avais mis ? Si c'est cela, tu te trompais. (Nicholas ne répondit pas et James rit à nouveau.) Ne me dis pas que tu as une conscience ? Le sens de l'honneur ?

– Pas l'ombre d'une chance, maugréa Connie.

– Ah, n'oublie pas une chose, Connie : on ne devait pas me pendre pour ce que je lui ai fait. Pourtant, il a provoqué mon arrestation.

– Très amusant, fit froidement Nicholas. Pouvons-nous nous dispenser de ces spéculations inutiles ? Dis ce que tu as à dire, Hawke, et qu'on en finisse. J'ai des choses à faire.

– Tout comme nous. Ça ne m'amuse pas de te pourchasser, crois-moi. Et j'ai l'impression de ne plus faire que ça depuis des mois. (James soupira.) Ces six derniers mois ont été épuisants.

– Je te plains sincèrement.

– Est-on obligés de supporter ses sarcasmes, Hawke ? gronda Connie. Tu es certain de vouloir continuer ?

– Connie a raison, intervint Jeremy. Je ne vois vraiment pas ce que Regan lui a trouvé.

– Vraiment pas, petit ? ricana Connie. Regarde cette belle gueule.

– Suffit, tous les deux, trancha James. Regan n'est pas stupide au point de s'enticher de quelqu'un uniquement sur sa bonne mine. Elle savait parfaitement ce qu'elle faisait.

– En tout cas, il me déçoit, grommela Jeremy.

– Ne le juge pas trop vite, dit James en souriant.

Nicholas commençait à s'impatienter.

– Hawke, si tu as quelque chose à dire, dis-le. Si tu veux à nouveau te battre, je suis ton homme. Mais si vous avez l'intention de vous disputer à propos d'une fille quelconque, vous pouvez aussi bien le faire ailleurs.

– Vous allez retirer ce mot, Lord Montieth ! s'écria Jeremy. Elle n'est pas une fille.

– Qui diable est ce gamin ?

James pouffa de rire.

– Mon fils. J'ai essayé de le convaincre de rester à bord mais il n'a pas voulu en entendre parler. Il désirait te connaître.

– Eh bien pas moi. Je me fiche complètement de ta famille, Hawke.

– Te ficherais-tu aussi de ta femme ?

Nicholas se dressa très lentement, le regard rivé à celui du capitaine.

– Qu'a-t-elle à voir là-dedans ?

– Elle est très jolie, n'est-ce pas ?

– Comment oses-tu...

Avec un cri de rage, Nicholas effectua un bond prodigieux par-dessus le bureau pour saisir James à la gorge. Connie et Jeremy eurent toutes les peines du monde à le maîtriser. Ils le tinrent solidement, chacun par un bras.

– Si tu as touché un seul de ses cheveux, Hawke, je te tuerai !

James se frotta la gorge en grimaçant de douleur, mais une étincelle brillait dans ses yeux. Ce qui venait de se passer le réjouissait.

– Je te l'avais bien dit, connie, et sa réaction le prouve, il est fou d'elle.

– Ma femme ! gronda Nicholas sans laisser à Connie le temps de répondre. Que lui as-tu fait ?

– Oh, c'est merveilleux, pouffa James tandis que Connie et Jeremy s'échinaient à maintenir Nicholas. Ce serait une douce vengeance que d'inventer une histoire pour te tourmenter, mon garçon. Je pourrais te dire que j'ai enlevé ta chère épouse, ce qui est la stricte vérité, en fait. Je comptais l'utiliser pour t'attirer dans un piège. Nous ignorions que tu avais quitté le pays. Et... le malheur a voulu que je ne sache pas qui était ta femme.

– Le terrible capitaine Hawke a eu peur de la famille de ma femme ?

Cette question déclencha un fou rire général. Un instant abasourdi, Nicholas profita de leur hilarité pour projeter Jeremy à terre et assener une bonne droite à Connie. Il réussit à se libérer un moment... mais un moment seulement.

– Tout doux, mon garçon. (James leva la main dans un geste d'apaisement.) Je ne veux pas te blesser. (Il sourit.) Il m'a fallu plusieurs semaines pour me remettre de notre dernier combat.

– Et tu crois que cela va me calmer ? Moi aussi j'en ai eu pour des semaines, et pendant ce temps-là, j'étais incapable de décourager Regina... Ah, ça ne vous regarde pas.

– Pas si sûr, mon garçon. Je sais que tu as tenté de la convaincre de rompre. Dommage qu'elle ne l'ait pas fait, d'ailleurs, mais le problème n'est plus là.

– Alors quel est le problème, sacré nom ? Qu'avez-vous fait à Regina ?

– Mon cher ami, jamais je ne ferai le moindre mal à Regan. Tu comprends, elle est ma nièce adorée.

– Regan ? Je me fiche pas mal...

– Tu en es sûr ?

Soudain, Nicholas se raidit. Les idées les plus saugrenues tournoyaient dans son esprit. Il remarquait tout à coup ce qu'il n'avait pas vu jusque-là. Hawke et le garçon se ressemblaient beaucoup et ressemblaient aussi à...

– James Malory ?

– Lui-même.

– Par tous les démons de l'enfer !

James éclata de rire.

– Ne le prends pas trop mal. Imagine ma réaction quand j'ai appris que tu faisais désormais partie de la famille. Cela mettait un terme à ma vengeance.

– Pourquoi ? rétorqua Nicholas. Si je m'en souviens bien, ta famille t'a répudié.

– Mes frères et moi nous sommes raccommodés, grâce à Regan. Je ne sais pas comment elle fait, mais elle obtient toujours ce qu'elle désire.

– N'est-ce pas, murmura Nicholas d'une voix lourde d'ironie. Alors que faites-vous ici ? Vous n'êtes pas venu me féliciter, quand même ?

– Sûrement pas, mon garçon. Je suis ici pour te ramener à la maison.

Les yeux de Nicholas lancèrent des éclairs.

– Pas question.

Le sourire de James se transforma en rictus carnassier.

– Tu viendras avec nous, d'une manière ou d'une autre.

Nicholas les dévisagea. Ils étaient sérieux.

– Votre escorte ne sera pas nécessaire, annonça-t-il. Mon propre navire est prêt à mettre les voiles. Nous levons l'ancre demain matin. J'avais déjà décidé de rentrer en Angleterre. Vous voyez donc, messieurs, que je n'ai nul besoin de vous.

– C'est ce que tu dis, répliqua James, suspicieux.

– C'est la vérité.

– Si tu quittes ce port sur ton navire, cela ne signifie pas forcément que tu feras route vers l'Angleterre. Non, je dois encore insister.

Nicholas avait du mal à garder son sang-froid.

– Pourquoi ?

– Mes frères n'apprécient pas que tu aies abandonné ta femme. Ils veulent t'avoir à l'œil.

– Absurde ! Ils ne pourront m'obliger à rester en Angleterre si je décide de partir.

James haussa les épaules.

– Ce que tu feras après que je t'aurai ramené

chez toi ne me concerne pas. Je ne fais que suivre les ordres de Jason. Il m'a dit : ramène-le. Alors je te ramène.

Ce qu'ils firent. Tandis qu'ils escortaient Nicholas hors de la pièce, Jeremy se pencha vers son père et lui murmura à l'oreille :

– Oncle Jason n'a jamais dit que tu devais le ramener. Il a simplement demandé que tu lui annonces qu'il avait un bébé.

– Je n'ai jamais obéi à mon frère, chuchota à son tour son père ; je ne vais pas commencer maintenant.

– Mais si on le lui révélait, il nous accompagnerait sûrement de son plein gré.

James éclata de rire.

– Ai-je dit que je voulais lui rendre la traversée agréable ?

26

– Nicholas !

Eleanor se dressa vivement à l'entrée des trois hommes dans le salon de la maison londonienne de Nicholas.

Reggie se leva plus lentement, plissant les paupières. Son mari était sous bonne escorte.

– Oncle James, c'est toi le responsable ?

– Il se trouve que nous sommes tombés sur lui, mon cœur.

– Eh bien, tu peux le ramener là où tu l'as trouvé, répliqua-t-elle. Il n'est pas le bienvenu ici.

– Regina ! s'étrangla Eleanor.

Reggie croisa les bras, refusant obstinément de regarder la tante de Nicholas. Elle s'était beaucoup rapprochée d'Eleanor ces derniers mois, se prenant d'affection pour elle. Mais personne ne l'obligerait à accepter un homme qu'on avait forcé à revenir auprès d'elle. Elle avait été suffisamment humiliée quand il l'avait abandonnée.

Faisant mine de ne s'intéresser qu'à sa tante, Nicholas étudiait Regina du coin de l'œil. Il avait envie de cogner, n'importe quoi ! Il avait aussi envie de pleurer. Non mais, regardez-la ! A l'évidence, elle connaissait le secret de sa naissance, elle savait, et elle le méprisait. Il le voyait à la ligne dure de ses lèvres, à la façon dont elle l'ignorait ostensiblement.

Ainsi, Miriam avait parlé. Tant mieux. Si Regina regrettait d'être l'épouse d'un bâtard, c'était tout ce qu'elle méritait pour l'avoir obligé à se marier.

Ayant été ramené de force, Nicholas en oubliait son propre désir de revenir et de présenter des excuses. En fait, il oubliait tout sauf sa fureur.

– Pas le bienvenu, madame ? répéta-t-il avec une dangereuse douceur. Je me trompe peut-être mais je suis ici chez moi.

Pour la première fois, elle croisa son regard. Seigneur, elle avait oublié le pouvoir dévastateur de ces yeux couleur de miel ! Il avait une mine superbe avec sa peau tannée et ses cheveux décolorés par le soleil. Mais elle ne se laisserait plus envoûter par ce débauché.

– Vous oubliez, monsieur, que vous avez refusé de partager cette maison avec moi. Pour être précis, vous me l'avez donnée.

– Je vous ai accordé Silverley, pas ma maison de Londres. Et d'ailleurs, qu'avez-vous fait ici, par tous les diables ? demanda-t-il en contemplant les meubles neufs et le papier mural.

Elle eut un sourire innocent.

– Pourquoi, Nicholas, cela ne vous plaît pas ? Evidemment, vous n'étiez pas là pour m'aider à redécorer cette maison. Mais j'ai été très prudente avec votre argent : cela ne vous a coûté que quatre mille livres.

James se détourna vivement pour dissimuler son sourire. Connie était soudain fasciné par le plafond. Seule, Eleanor fronça les sourcils. Les deux jeunes gens se faisaient face, le regard étincelant, comme deux coqs prêts à s'entre-tuer.

– Nicholas, est-ce une façon de saluer ton épouse après sept mois ?

– Que fais-tu ici, tante Ellie ?

– Et est-ce une façon de me saluer ? (Il ne s'adoucit nullement. Elle soupira.) Si tu tiens à le savoir, cette maison est si grande... j'ai pensé que Regina y serait perdue. Ce n'était pas correct de la laisser seule ici.

– Je l'ai laissée à Silverley ! tonna-t-il.

– Je vous interdis d'élever la voix contre Ellie ! s'écria Reggie. Et si ça vous chante, allez vivre à Silverley avec Miriam. Je me plais bien ici.

– Nous allons tous les deux retourner à Silverley, répliqua-t-il froidement, maintenant que je n'ai plus aucune raison d'éviter ma *mère*.

– Pas question.

– Je ne vous demandais pas votre permission. Un mari n'a nul besoin de l'autorisation de sa femme... en quoi que ce soit.

– Vous avez abandonné tous vos droits en m'abandonnant, rétorqua-t-elle, farouche.

Il sourit.

– Je n'ai pas abandonné mes droits, je m'en suis simplement passé... jusqu'à présent. Après tout, votre famille s'est donné tellement de mal pour nous réunir à nouveau. Il ne faut pas les décevoir.

– Lady Reggie, intervint alors une vieille femme sur le seuil de la pièce. C'est l'heure.

– Merci, Tess.

Elle renvoya la nourrice d'un signe de tête avant de se tourner vers James et Connie.

– Je sais que vous cherchiez à bien faire, mais je ne vous remercie pas.

– C'est toi qui as dit que tu saurais te débrouiller, Reggie, lui rappela son oncle.

Elle sourit, pour la première fois depuis leur arrivée, retrouvant son air espiègle et enjoué. Elle les embrassa tous les deux.

– Je l'ai dit. Et je le ferai. Maintenant, si ces messieurs veulent bien m'excuser, je dois m'occuper de mon fils.

James et Conrad rugirent de rire dès qu'elle eut quitté la pièce. Nicholas était pétrifié sur place, bouche bée, proprement foudroyé.

– Ne te l'avais-je pas dit, Connie ? s'exclama James. Ça valait bien tout le mal qu'il nous a donné. Ah mais, regarde sa tête !

27

Nicholas avala son troisième cognac en une demi-heure et s'en versa un autre. James Malory et Connie Sharpe, ses ombres depuis si longtemps, étaient partis et leurs rires le mortifiaient encore. Mais ce n'était pas le pire.

Il était assis dans ce qui, récemment encore, était son bureau et était à présent transformé en salon de musique. Un salon de musique ! Elle se moquait de lui ! Le bureau d'un homme était sacré. En l'éliminant, c'était comme si elle avait voulu l'éliminer lui.

Avait-elle cru qu'il ne reviendrait jamais ? Ou bien espérait-elle le contraire ? Qu'elle aille au diable ! Sa belle et douce épouse s'était métamorphosée en féroce démon, à l'image de ses deux oncles. Qu'ils aillent au diable eux aussi ! Tous !

Eleanor arpentait la pièce, lui lançant des regards désapprobateurs à chaque fois qu'il portait son verre à ses lèvres. Il mijotait dans sa rancœur.

– Bon sang, qu'a-t-elle fait de mes papiers, de mon bureau, de mes livres ?

Eleanor fit un effort pour garder son calme.

– Tu viens d'apprendre que tu as un fils et c'est tout ce à quoi tu penses ?

– Ce qui signifie que tu ne sais pas ce qu'elle a fait de mes affaires ?

Eleanor soupira.

– Au grenier, Nicky. Tout est au grenier.

– Tu étais là quand elle a tout chamboulé, l'accusa-t-il.

– Oui.

– Et tu n'as pas essayé de l'arrêter ?

– Au nom du Ciel, Nicky, tu t'es marié. Tu ne pouvais espérer continuer à vivre dans une maison de célibataire.

– Je n'ai pas souhaité ce mariage, fit-il, amer, et elle devait rester là où je l'avais laissée, pas venir ici. Si elle avait tant envie d'exercer ses talents de décoratrice, elle aurait dû le faire à Silverley.

– Je crois que Silverley lui plaît tel qu'il est.

– Alors pourquoi n'y est-elle pas restée ?

– Tu ne t'en doutes pas ?

– Ma chère mère n'a pas voulu lui laisser les rênes de la maison ?

– Regina a su tenir son rôle.

– Oh, elles s'entendaient donc à merveille ? Et pourquoi pas, après tout ? Elles ont tellement de choses en commun. Elles me méprisent toutes les deux.

– Tu es injuste, Nicholas.

– Tu ne vas quand même pas défendre ta sœur ?

– Non, répondit Eleanor avec tristesse.

– Je vois. Tu prends le parti de Regina. Tu voulais que je l'épouse. Tu dois être satisfaite maintenant ?

Eleanor secoua la tête.

– Je ne te reconnais plus, Nicky. Qu'est-ce qui

t'arrive ? C'est une fille merveilleuse. Elle aurait pu te rendre si heureux.

Une douleur atroce se réveilla dans sa poitrine, l'étouffant à moitié. Jamais il ne connaîtrait le bonheur avec Regina, même si c'était ce qu'il désirait le plus au monde. Mais Eleanor ne pouvait comprendre : Miriam ne lui avait jamais révélé la vérité. Les sœurs étaient des étrangères l'une pour l'autre depuis si longtemps. Et si Miriam ou Regina ne lui avaient rien dit, il n'allait sûrement pas s'en charger. Ellie, avec son grand cœur, aurait pitié de lui et il ne voulait pas de sa pitié.

Il contempla son verre et marmonna :

– Je n'aime pas qu'on me force la main.

– Mais ce qui est fait est fait. Tu l'as épousée. Pourquoi ne pas lui avoir donné une chance ?

– Parce que.

– Très bien. Je comprends. Tu étais amer. Mais maintenant, Nicky, pourquoi ne pas essayer maintenant ?

– Pour qu'elle me rie au nez ? Non merci.

– Elle a été blessée, c'est tout. Qu'espérais-tu ? Tu l'as abandonnée le soir même de vos noces.

Les doigts de Nicholas se crispèrent sur le verre.

– C'est ce qu'elle t'a dit ? Qu'elle était blessée ?

Eleanor évita son regard.

– En fait...

– C'est bien ce que je pensais.

– Ne me coupe pas la parole, Nicky. C'est vrai qu'elle évite de me parler de toi. Mais je commence à la comprendre après avoir vécu quatre mois ici avec elle.

– Elle n'est pas idiote. Elle préfère ne pas te dire ce qu'elle pense de moi car elle sait que ça te causerait du chagrin.

– Tu ne veux pas faire le moindre effort, n'est-ce pas ? s'exclama-t-elle.

Il ne répondit pas et elle perdit patience :

– Et ton fils ? Doit-il grandir dans une atmosphère de haine et de rejet... comme toi ? C'est cela que tu veux pour lui ?

Nicholas jaillit de sa chaise et fracassa son verre contre le mur.

– Je ne suis pas un imbécile, madame. Elle raconte peut-être à tout le monde que cet enfant est le mien, mais je sais parfaitement que c'est faux !

– Tu veux dire que... elle et toi... vous n'avez jamais...

– Une seule fois, tante Ellie, une seule et unique fois. Et c'était quatre mois avant notre mariage !

Eleanor retrouva des couleurs.

– Elle a accouché cinq mois après, Nicky.

Il se figea avant de déclarer froidement :

– C'est un prématuré.

– Absolument pas ! Pourquoi penses-tu une chose pareille ?

– Parce qu'elle me l'aurait annoncé. Elle m'aurait dit qu'elle attendait un bébé pour m'obliger à rester. Si elle était enceinte de quatre mois, elle ne pouvait l'ignorer, et je m'en serais aperçu, mais elle n'avait absolument pas changé. A mon avis, elle était enceinte de quelqu'un d'autre depuis quelques semaines et elle n'en savait encore rien.

– Nicholas Eden, tant que tu continueras à nourrir des idées aussi perverses, je n'aurai plus rien à te dire.

Là-dessus, furieuse, Eleanor quitta la pièce.

Nicholas s'empara de la carafe de cognac, prêt

à lui faire subir le même sort que le verre. Au lieu de cela, il la porta à ses lèvres. Pourquoi pas ?

Oui, si elle avait été enceinte au moment du mariage, elle le lui aurait dit. Il se rappelait trop bien ces soirées où elle s'était fait raccompagner par d'autres hommes. Par George Fowler, notamment...

Emporté par la rage, il n'arrivait plus à réfléchir posément. Dès le moment où il avait appris l'existence de l'enfant, il avait essayé de ne pas y penser. Son fils ? Et puis quoi encore !

28

Reggie sourit d'un air absent quand le petit poing martela son sein. Nourrir son fils était toujours un moment privilégié, mais ce soir ses pensées étaient ailleurs. Elle ne remarqua même pas quand il arrêta de téter.

– Il s'est rendormi, chuchota Tess.

– Ah oui... mais pas pour longtemps, n'est-ce pas ?

Reggie souleva gentiment l'enfant pour l'installer contre son épaule et lui tapoter le dos. Il gigota un peu et émit un rot satisfait. Reggie sourit à sa vieille nourrice qui était à présent celle de son fils.

– Cette fois, il va peut-être continuer à dormir, murmura-t-elle en le couchant dans son berceau.

Mais à l'instant où elle le posait sur le ventre, sa tête se redressa brusquement et ses grands yeux inquisiteurs s'ouvrirent.

– C'est normal, fit Tess en souriant. Il n'a plus autant besoin de dormir ; il grandit.

– Il va falloir songer à te trouver de l'aide.

– Pas la peine maintenant, grogna Tess. Quand il aura six mois et qu'il commencera à ramper partout, alors je cracherai pas sur un coup de main.

– Comme tu veux, concéda Reggie de bon cœur. Mais pour le moment, tu ferais mieux d'aller dîner. Je reste avec lui.

– Oh non, ma fille. Tu as de la compagnie en bas.

– Oui, soupira Reggie. Mon mari. Mais comme je n'ai rien à lui dire, je ne descendrai pas le voir. Vas-y, Tess. Et, s'il te plaît, fais-moi monter un plateau ici.

– Mais...

– Non. (Reggie souleva à nouveau le bébé dans ses bras.) Ce gentleman est la seule compagnie dont j'aie besoin.

Tess partie, Reggie abandonna toute sa bonne éducation et se mit à couiner et gesticuler comme son fils, lui arrachant quelques sourires. Il ne riait pas encore mais cela ne saurait tarder. Il était doté d'un caractère formidable, ouvert et gai.

Comme elle l'aimait ! Les dernières semaines de sa grossesse, elle avait sombré dans une terrible dépression. Mais après sa naissance, qui s'était déroulée avec une stupéfiante facilité, son enfant avait illuminé sa vie. En fait, ces deux derniers mois, son bébé l'avait tellement accaparée qu'elle avait à peine pensé à Nicholas. Juste une douzaine de fois par jour...

Elle soupira.

– Mais il est revenu, mon chéri. Qu'allons-nous faire ?

– Tu ne t'attends quand même pas qu'il te réponde ?

– Oh, Meg ! Tu m'as fait peur.

– Tu veux que je pose ça par terre ?

Meg tenait un plateau de nourriture.

– Non, là sur la table, s'il te plaît. Et maintenant, dis-moi comment ça se passe avec Harris ?

Nicholas était parti en abandonnant son valet, au grand désarroi de ce dernier. Le pauvre homme avait été complètement perdu ces derniers mois, et particulièrement depuis que Reggie s'était installée dans cette demeure. Hostile à la présence de toutes ces femmes, il avait eu quelques mots avec Meg, chacun protégeant son territoire.

Brusquement, à la naissance du bébé, tout avait changé. Harris s'était montré beaucoup plus chaleureux à l'égard de Reggie – ou, pour être plus exact, à l'égard de Meg. Meg et Harris s'étaient soudain découvert avec stupeur des tas de points communs. Ils sortaient ensemble ces derniers temps et s'entendaient à merveille... tant que Meg ne faisait pas d'allusion déplaisante à l'égard du vicomte.

Meg posa violemment le plateau.

– Ah, ne me parlez pas de ce sans-cœur ! Je ne veux plus rien avoir à faire avec lui. A peine apprend-il le retour de son maître qu'il se précipite au service de Sa Seigneurie. Sans même prendre le temps de me présenter ses excuses ! Tout ça pour lui apporter une bouteille de cognac au salon de musique.

Reggie pouffa subitement.

– Ah, j'avais oublié que j'avais transformé son bureau.

– Tess m'a dit qu'elle a entendu Lady Ellie et lui se disputer là-dedans.

– Vraiment ? Cela m'est complètement égal.

– Pff, se moqua Meg, tu donnerais toutes tes dents pour savoir ce qu'ils se sont dit.

– Tu présumes qu'ils se disputaient à cause de moi ?

– Et de qui d'autre ?

– Oui, franchement, de qui d'autre ? demanda Nicholas depuis la porte.

Reggie, allongée sur le tapis avec son fils sur la poitrine, releva la tête pour regarder son mari. Rassemblant toute sa dignité, elle se leva lentement.

Nicholas vint vers elle et contempla le petit être qu'elle tenait dans ses bras. Les touffes de cheveux noirs et les grands yeux bleus ne laissaient aucun doute : c'était un Malory. Encore un.

– Joli tableau, ironisa-t-il. Très touchant.

Blessée dans sa fierté de mère, elle lui tourna le dos en déclarant d'un ton glacial :

– Si vous n'êtes pas venu voir Thomas, vous pouvez partir.

– Oh, mais je suis venu le voir, fit Nicholas avec un mince sourire. Ainsi, c'est Thomas... comme votre père.

Reggie coucha délicatement le bébé dans son berceau et l'embrassa. Puis elle se tourna vers son mari.

– Thomas Ashton Malory Eden.

– Eh bien, *votre* famille n'a pas été oubliée.

– Si vous désiriez qu'il reçoive le nom de l'un de vos parents, vous n'aviez qu'à être présent à sa naissance.

– Pourquoi ne m'avez vous rien dit ?

Elle fronça les sourcils. Dans un instant, ils allaient se mettre à crier. Mais pas ici, pas dans la chambre de l'enfant.

– Meg, reste avec Thomas jusqu'au retour de Tess, tu veux bien ?

Puis, s'adressant à Nicholas :

– Mes appartements sont en face. Si vous tenez à poursuivre cette conversation, vous pouvez m'y rejoindre.

Elle n'attendit pas sa réponse pour quitter la pièce, traverser le couloir et s'asseoir dans son boudoir. Nicholas la suivit, claquant violemment la porte derrière lui. Elle lui lança un regard noir.

– Si vous avez envie de claquer des portes, faites-le ailleurs.

– Si je veux claquer des portes, personne ne m'en empêchera chez moi ! Maintenant, répondez-moi ! Pourquoi ne me l'avez-vous pas dit ?

Un bref silence s'installa, puis enfin la voix lasse de Reggie s'éleva :

– Cela aurait-il changé quelque chose ?

– Nous ne le saurons jamais, répliqua-t-il, sardonique. Bien sûr, il reste la possibilité que vous l'ayez ignoré et que donc vous n'ayez rien pu me dire.

– Ne pas savoir au bout de quatre mois ? (Elle sourit.) Il est vrai que cela ne se voyait guère. Mais quatre mois ? N'importe quelle femme aurait su, après tout ce temps.

Il s'approcha pour la toiser de toute sa hauteur.

– En général, au quatrième mois, tout le monde le sait, dit-il d'une voix sourde. Vous n'aviez pas de ventre, ma chère. Pas la moindre rondeur.

Les yeux de Reggie rencontrèrent les siens. Ce qu'elle lut dans son regard l'effara.

– Vous pensez qu'il n'est pas votre fils ? fit-elle, incrédule. Voilà pourquoi vous lui avez à peine jeté un coup d'œil !

Elle se leva et éclata d'un rire amer.

– Ah, c'est extraordinaire ! Voilà quelque chose que je n'avais jamais envisagé.

En d'autres circonstances, ce quiproquo aurait pu la réjouir. Quelle vengeance parfaite pour tout ce qu'il lui avait fait subir que de lui infliger l'enfant d'un autre ! Mais Reggie n'était pas d'humeur à apprécier l'ironie de la situation. Après le choc de le revoir enfin, elle venait de recevoir un choc plus terrible encore.

La saisissant par l'épaule, il l'obligea à lui faire face.

– Cette soi-disant surprise est donc tout ce que vous avez à m'offrir, madame ? Vous avez pourtant eu amplement le temps d'inventer une histoire pour expliquer le fait que vous étiez aussi mince qu'une vierge le jour de nos noces. Je suis très curieux d'entendre ça.

– Curieux, hein ? s'emporta-t-elle. Vous êtes curieux ? Oui, j'étais mince. Je n'avais pas encore pris un gramme.

– Alors vous l'admettez, ricana-t-il.

– J'admets quoi, Nicholas ? Je dis simplement que ma grossesse a été tout à fait inhabituelle. A tel point que j'ai commencé à m'inquiéter, à croire que quelque chose n'allait pas. J'en étais au septième mois et des femmes enceintes de cinq mois étaient deux fois plus grosses que moi. (Elle respira profondément.) Oncle Jason m'a assuré que ma grand-mère était pareille. Il m'a dit que ses frères et lui étaient aussi petits que Thomas, ce qui ne les a pas empêchés de devenir grands et forts. Et il avait raison. Thomas grandit et grossit de façon absolument normale. Un jour, il sera sans doute aussi grand que son père, conclut-elle, encore furieuse mais un peu soulagée.

Elle lui avait tout dit. Qu'il la crût ou non, cela ne la concernait plus.

– C'était une excellente histoire, très originale, je le reconnais. Meilleure que tout ce à quoi je m'attendais.

Reggie secoua la tête. Il s'était fait son opinion et n'y renoncerait pas.

– Si vous ne voulez pas reconnaître Thomas, ne le faites pas. Cela m'est vraiment égal, dit-elle simplement.

Nicholas explosa :

– Dites-moi qu'il est de moi ! Osez me le dire en face !

– C'est votre fils.

– Je ne vous crois pas.

– Très bien. Maintenant, si vous voulez bien m'excuser, mon dîner va refroidir.

Il la contempla, stupéfait, tandis qu'elle se dirigeait vers la porte.

– Vous n'essayez même pas de me convaincre ?

Reggie lui jeta un regard par-dessus son épaule. Son air hagard la fit hésiter. Mais elle avait fait tout ce qu'elle devait. C'était à lui d'admettre la vérité.

– Pourquoi ? répondit-elle. Thomas n'a pas besoin de vous. Il m'a. Et il ne manquera pas d'attentions masculines, pas avec ses quatre grands-oncles qui sont déjà fous de lui.

– Alors là, pas question ! rugit-il. Je ne laisserai pas ces maudits tyrans élever mon... (Il se tut subitement en la foudroyant du regard.) Allez manger !

En quittant la chambre d'enfant, Reggie souriait, ayant retrouvé tout son humour. Hé, hé, il y avait de quoi, non ?

29

Un bruit inconnu réveilla Nicholas. Il s'assit en fronçant les sourcils et tendit l'oreille. En vain. Il allait se recoucher quand cela recommença. Un enfant pleurait...

Il se demanda si cela arrivait souvent d'être réveillé au milieu de la nuit par les cris du bébé. Mais cela n'avait aucune importance : demain, il ramènerait tout ce petit monde à Silverley. Et là-bas, il dormirait assez loin de la nursery pour ne pas être dérangé.

Le calme régnait à nouveau. Nul doute que sa nourrice devait donner le sein au gamin. Regina avait-elle été réveillée ? Il l'imagina dans la chambre voisine, recroquevillée dans son lit, dormant profondément. Elle devait avoir l'habitude.

Ne l'ayant jamais vue dans un lit jusqu'ici, il ne pouvait se la représenter. Dormait-elle les mains serrées sous son menton comme un enfant ? Et ses cheveux noirs ? Etaient-ils dénoués ou bien emprisonnés dans un bonnet ? Etaient-ils très longs ? Il ne les avait vus que sagement remontés sur sa nuque. Que portait-elle pour dormir ? Il ne savait rien d'elle et elle était sa femme.

Il avait le droit le plus absolu de se rendre dans sa chambre et de lui faire l'amour. Il en avait envie. Mais il ne le ferait pas. Elle n'était plus la jeune femme passionnée mais innocente qui lui avait offert sa virginité par une chaude nuit d'été. Elle le repousserait, méprisante, haineuse. Et il ne le supporterait pas.

Mais... elle n'en saurait rien s'il allait discrètement la regarder, non ? En un éclair, Nicholas avait quitté son lit et enfilé sa robe de chambre. Bientôt il fut dans le couloir, entre la chambre d'enfant et celle de Regina. Sa porte était fermée. Celle de la nursery était entrouverte et une faible lumière en sortait. Une femme fredonnait une comptine familière.

Nicholas s'arrêta, la main sur la poignée de la porte de Regina. Il se sentait étrangement attiré par la chambre d'enfant. La nourrice n'aimerait sûrement pas être dérangée, pourtant il éprouva soudain l'irrépressible envie d'y entrer. Il n'avait pas bien regardé le bébé tout à l'heure. Quel meilleur moment que maintenant ?

Nicholas se faufila dans la nursery. La nourrice, Tess, dormait profondément sur une couchette contre le mur. Une petite lampe brûlait sur une table à côté d'un fauteuil. Dans ce fauteuil se trouvait Regina, nourrissant son fils.

Il en resta bouche bée. Les dames de qualité ne donnaient pas le sein à leurs enfants. Cela ne se faisait pas ! Elle était de profil, légèrement penchée au-dessus du bébé, chantonnant doucement. Quelques boucles encadraient son visage tandis que sa longue chevelure cascadait en flots noirs sur le dossier du fauteuil. Elle portait une robe de chambre à manches longues révélant une chemise de nuit taillée dans un tissu identique, et ouverte d'un côté de façon à découvrir son sein. La bouche du bébé travaillait fiévreusement et une petite main décidée semblait tenir le téton en place.

Nicholas était fasciné. Du plus profond de son être jaillirent des émotions inconnues, une immense tendresse. Même quand elle sentit enfin sa présence et le regarda, il fut incapable de bouger.

Leurs yeux se rencontrèrent. Pendant un long moment, ils se dévisagèrent simplement. Elle ne montra ni surprise, ni colère. Leur hostilité avait disparu. Il avait l'impression qu'ils se touchaient sans les mains. Quelque chose passait entre eux qui faisait s'évanouir leurs différends.

Elle fut la première à détourner le regard.

– Je suis désolée s'il vous a réveillé.

Nicholas se secoua.

– Non, non, ce n'est pas grave. Je... ne pensais pas vous trouver ici.

Puis, timide, il demanda :

– Vous n'avez pas pu lui trouver une nourrice ?

Reggie sourit.

– Je n'en ai pas cherché. Quand Tess m'a dit que ma mère avait défié la tradition en me donnant le sein, j'ai décidé d'en faire autant avec Thomas. Et je ne le regrette pas.

– Ce doit être assez astreignant, non ?

– Je n'ai rien à faire, nulle part où j'aie plus envie d'être qu'aux côtés de Thomas. Bien sûr, je peux rarement sortir, mais cela ne me manque pas.

Il n'avait plus rien à dire mais il n'avait aucune envie de partir.

– Je n'avais encore jamais vu une mère nourrir son enfant. Cela vous ennuie ? s'enquit-il maladroitement.

– C'est votre... Non, cela ne m'ennuie pas, conclut-elle en gardant les yeux sur le bébé.

Il s'adossa à la porte, l'air rêveur. L'enfant était-il le sien ? Elle le prétendait. Et chaque fibre de son être lui hurlait qu'elle avait raison. Alors pourquoi refusait-il la vérité avec autant d'obstination ? Parce que abandonner une épouse était une chose. Abandonner une épouse enceinte en était une autre. Bien sûr, il ne savait pas. Mais elle avait dû faire face à sa grossesse seule et son abandon n'en était que plus méprisable. Bon sang... C'était elle qui l'avait mis dans cette situation en lui cachant son état ! Comment pourrait-il un jour se racheter ?

Reggie tourna l'enfant pour lui donner l'autre sein. La brève vision de cette superbe poitrine coupa le souffle à Nicholas.

Malgré lui, malgré sa volonté, il vint lentement jusqu'à elle, irrésistiblement attiré. Elle leva les yeux vers lui mais il n'osa pas rencontrer son regard. Il avait trop peur de la toucher.

Il se forçait à regarder l'enfant mais cela l'obligeait à voir son sein, la gorge dénudée et, plus haut, ses douces lèvres. Que ferait-elle s'il l'embrassait ? Il se pencha pour le savoir.

Nicholas la sentit tressaillir au moment où sa bouche se posait sur la sienne. Son baiser fut court et doux, à peine un frôlement, afin qu'elle n'eût pas le temps de se détourner. Il se redressa, toujours sans la regarder dans les yeux.

– C'est un beau bébé, Regina.

Un long silence régna avant qu'elle répondît :

– J'aime le penser.

Il sourit d'un air hésitant.

– Je l'envie, en ce moment.

– Pourquoi ?

Il plongea enfin son regard dans ses immenses yeux bleus.

– Vous le demandez ?

– Vous ne voulez pas de moi, Nicholas, vous me l'avez parfaitement fait comprendre avant votre départ. Auriez-vous changé d'avis ?

Il se raidit. Elle voulait des excuses, des supplications ! Et avoir ainsi l'occasion de l'humilier ! Elle avait juré qu'elle ne lui pardonnerait jamais et elle tiendrait probablement parole. Oh, il comprenait cette réaction, mais il ne tenait pas à souffrir davantage.

Il pivota et s'en fut sans un mot.

30

Il était sérieux ! Il voulait vraiment déménager à Silverley le jour même. Nicholas avait fait cette proclamation au petit déjeuner sous le fallacieux prétexte qu'il ne pouvait continuer à vivre dans une maison où il n'avait plus de bureau. Quel sinistre individu !

En tout cas, Reggie ne partirait pas sans Eleanor. Elle n'avait aucune envie d'être recluse à la campagne en compagnie de deux dragons. Non, Eleanor devait venir. Evitant Nicholas, elle alla la trouver. Ellie commença par refuser mais Reggie insista, tant et si bien qu'elle finit par la convaincre.

Tout le monde passa donc la journée à préparer les bagages en catastrophe. Tout le monde à l'exception de Nicholas, qui regardait d'un œil goguenard cette agitation qu'il avait créée. Reggie n'eut même pas le temps de dire au revoir à sa famille et dut se contenter d'envoyer quelques notes hâtivement griffonnées. Malgré les efforts de tous – hormis Nicholas –, il était tard dans l'après-midi quand la dernière malle fut chargée dans l'attelage supplémentaire qu'il avait loué.

Reggie n'adressait plus la parole au vicomte, et pas uniquement en raison du remue-ménage qu'il avait causé aujourd'hui. Elle était, en fait, troublée par leur rencontre de la nuit précédente. Après cela, elle avait été incapable de trouver le sommeil. Et pas parce qu'il l'avait embrassée. Non, si elle était honnête envers elle-même, elle devait reconnaître que c'était parce qu'il n'avait rien fait de plus...

Voilà ce qui provoquait sa confusion. Comment pouvait-elle encore le désirer après tout ce qu'il lui avait fait subir ? Mais c'était la vérité. De l'avoir vu, là, debout dans l'entrée, avec sa robe de chambre mal nouée, sa chevelure en bataille et cette intensité dans le regard avait éveillé en elle un désir si fou qu'il en était effrayant. Elle en oubliait tous ces mois passés à le maudire.

Que faire alors ? Lui pardonner ? Elle ne le voulait pas. Elle ne voulait pas être amoureuse de lui.

Eleanor, Tess et le bébé avaient pris place à bord de la plus grande voiture avec Reggie et Nicholas, tandis que Meg, Harris et la femme de chambre d'Eleanor occupaient l'autre. Thomas ne manquait donc pas de girons féminins où se blottir. La plupart du temps, il restait silencieux et les trois femmes pouvaient bavarder à leur aise. Nicholas mettait un point d'honneur à paraître ennuyé par leur conversation. En représailles, les femmes l'ignoraient : Reggie au point de ne pas hésiter à dégrafer sa robe pour nourrir son fils. Qu'il ose lui faire une remarque ! Qu'il ose !

Cette attitude provoqua un changement chez Nicholas. Toute la journée, le dédain hautain de son épouse l'avait amusé, de même que la raideur de sa tante. De toute manière, la douce Eleanor ne restait jamais bien longtemps fâchée avec lui. Sa venue à Silverley l'avait un peu surpris car elle n'y avait plus mis les pieds depuis la mort de son père, six ans auparavant. Eleanor devait s'imaginer que Regina avait besoin d'un soutien moral et cette idée l'amusait autant qu'elle le chagrinait.

Mais dans le maelström d'émotions qui tournoyaient en lui, l'une était particulièrement tenace. Il était excité. La simple vue de Regina donnant le sein à l'enfant le mettait dans un état effroyable. Tout en se traitant de dépravé, il devait reconnaître que Regina avait toujours eu cet effet sur lui.

Mais cela n'avait aucune importance. Regina repousserait ses avances. Et il n'avait nullement l'intention de supplier sa propre femme. Bien sûr, s'ils dormaient dans la même chambre à coucher, la promiscuité pourrait l'aider... Mais Silverley était si vaste qu'ils ne risquaient pas de partager le même lit.

Soudain, une idée diabolique lui traversa l'esprit. Il sursauta en se rendant compte qu'il avait failli laisser échapper sa chance : ils étaient pratiquement parvenus à destination. Sans même prendre le temps de réfléchir davantage, Nicholas appela le cocher pour lui ordonner de s'arrêter dans la prochaine auberge.

– Quelque chose ne va pas ? s'étonna Eleanor.

– Non, tante Ellie. Je viens simplement de me rendre compte que j'aimerais bien un bon repas chaud ce soir. Il est tard. A Silverley, on ne nous servira qu'un petit en-cas froid.

– Il n'est pas si tard. Ne sommes-nous pas presque arrivés ? demanda Reggie.

– Pas vraiment, chérie. Et je suis affamé. Je ne peux plus attendre.

Nicholas était connu à l'auberge où ils allaient s'arrêter bientôt. Le propriétaire serait ravi d'exécuter ses moindres désirs. Et après, si la chance voulait bien lui sourire...

31

Reggie gloussa en se dirigeant vers le lit. Meg venait de la quitter après lui avoir adressé un fameux sermon tout en l'aidant à se déshabiller. Meg pensait qu'elle était soûle. Evidemment, elle ne l'était pas. Mais Eleanor, oui. C'était bien ce qui la faisait rire à présent, car Reggie avait été obligée d'aider son amie à gagner sa chambre où sa dame de compagnie l'avait réprimandée, elle aussi.

Eleanor n'avait guère consommé que... disons, une demi-douzaine de verres de ce délicieux vin que le tavernier avait sorti de sa réserve spéciale. C'était du moins ce qu'il avait dit à Nicholas. Reggie en avait bu à peu près autant et se sentait merveilleusement bien mais nullement ivre. Elle supportait beaucoup mieux l'alcool qu'Eleanor.

Elle se laissa rebondir sur le lit. Cette pièce était loin d'être aussi spacieuse que sa chambre à Silverley mais elle conviendrait parfaitement pour une nuit. Au milieu du dîner, Nicholas avait annoncé qu'elles pouvaient prendre leur temps. Il s'était trop précipité, avait-il dit, car il n'avait guère l'habitude de voyager avec une compagnie aussi nombreuse. Il s'était rendu compte qu'arriver si tard et sans préavis à Silverley ne ferait que déranger tout le monde. Il faudrait réveiller les domestiques pour préparer les chambres, s'occuper des chevaux, des bagages et de tout le reste. Non, il valait mieux arriver au matin. Il avait donc réservé des chambres à l'auberge.

Le dîner avait été long et agréable, Nicholas ne lésinant pas sur la dépense pour se racheter des inconvénients qu'il leur avait causés. Il avait été tout à fait charmant, régalant sa tante de multiples anecdotes comiques. Reggie n'avait pas tardé à partager sa bonne humeur.

Elle bâilla et tendit la main pour éteindre la lampe de chevet. Elle la manqua et se mit à glousser de plus belle. Avant qu'elle pût tenter un deuxième essai, la porte s'ouvrit et Nicholas pénétra dans la chambre.

Reggie le contempla, ébahie. Il ne s'excusait pas de son erreur... Etait-ce une erreur ?

– Vous désirez quelque chose, Nicholas ?

Il se contenta de sourire.

Reggie fronça les sourcils en le voyant enlever sa veste.

– Que... que faites-vous ?

– Je me prépare à me coucher, dit-il paisiblement.

– Mais...

Il parut perplexe.

– Oh, je ne vous l'ai pas dit ? Je croyais bien l'avoir fait.

– Que ne m'avez-vous pas dit ? demanda-t-elle, confuse.

– Qu'il n'y avait plus que trois chambres de libres. Ma tante et sa femme de chambre en occupent une. Meg, la nourrice et Thomas se partagent la deuxième. Ce qui ne nous laisse plus que celle-ci.

Il s'assit sur le rebord opposé du lit pour ôter ses bottes. Reggie contemplait son large dos avec de grands yeux.

– Vous comptez dormir ici ? s'exclama-t-elle d'une voix aiguë. *Ici ?*

– Où pourrais-je aller ?

Il faisait de son mieux pour avoir l'air blessé.

– Mais...

Elle n'en dit pas plus car il s'était subitement retourné. Ses yeux dorés brillaient dangereusement.

– Quelque chose vous dérange ? Nous sommes mariés, vous savez. Et, je vous assure, vous ne risquez absolument rien à partager mon lit.

Devait-il vraiment lui rappeler qu'il ne la désirait plus ?

– Vous ne ronflez pas ? demanda-t-elle par pure méchanceté.

– Moi ? Bien sûr que non.

– Bon, dans ce cas je crois qu'il n'y a aucun mal à ce que nous partagions la même chambre pour une nuit. Mais vous garderez quelques vêtements ?

– Ils me gênent pour dormir.

– Alors, je vais éteindre immédiatement, si cela ne vous dérange pas.

– Pour éviter le spectacle choquant de ma nudité ? Je vous en prie...

N'y avait-il pas une pointe d'ironie dans sa voix ? Le goujat !

Elle attrapa la lampe, de ses deux mains cette fois-ci, ne tenant pas à ce qu'il l'accusât d'être ivre. Sans lumière, elle eut toutes les peines du monde à se faufiler sous les couvertures. Pendant ce temps-là, Nicholas avait fini de se déshabiller et se glissa sous les draps. Son poids creusait le matelas, attirant irrésistiblement Reggie qui dut s'accrocher au rebord du lit pour ne pas glisser vers lui. Elle resta là, raide comme un bout de bois, redoutant comme la peste le moindre contact avec lui.

– Bonne nuit, chérie.

Elle grimaça.

– Bonne nuit, Nicholas.

Moins d'une minute plus tard, des ronflements sonores retentirent. Elle laissa échapper une exclamation étouffée. Ah bon, il ne ronflait pas ! Comment allait-elle dormir au milieu de ce vacarme ? Elle attendit à peine une autre minute avant de le secouer.

– Nicholas ?

– Sois gentille, chérie, marmonna-t-il, une fois, ça suffit pour ce soir.

– Une f... oh ! s'étrangla-t-elle, comprenant ce qu'il voulait dire.

Il la prenait pour quelqu'un d'autre qui voulait lui faire... lui refaire l'amour !

Elle se laissa retomber sur son oreiller, anéantie. Un moment plus tard il ronflait de plus belle, mais elle se contenta de serrer les dents. Quelques minutes passèrent puis Nicholas roula vers elle et une de ses mains atterrit beaucoup trop près de ses seins. Sa jambe lui écrasait la cuisse.

Soudain, elle songea que la poitrine pressée contre son bras était nue, que cette jambe si lourde était nue elle aussi et que... Ô Seigneur, si jamais elle bougeait, elle risquait de le réveiller. Mais cette intimité éveillait des émotions qu'elle aurait préféré oublier. Il n'était pas question de dormir ainsi.

Très gentiment, elle essaya de soulever sa main. Sa réaction fut de lui saisir le sein. Elle ouvrit de grands yeux, son souffle s'accéléra, tandis qu'il continuait à dormir paisiblement, inconscient de ce qu'il faisait.

Encore une fois, elle tenta d'échapper à son étreinte, dépliant ses doigts un par un. Sa main bougea enfin... mais pas là où Reggie l'espérait : elle glissa lentement le long de son ventre avant de remonter pour s'accrocher à son autre sein. Il se serra contre elle puis ses doigts commencèrent à caresser son mamelon.

– Très... joli, marmonna-t-il dans son sommeil.

Son souffle était brûlant. Un gémissement remonta du plus profond d'elle-même, qu'elle fut incapable de retenir. Elle rougit violemment. C'était de la folie ! Il dormait ! Comment pouvait-il la mettre dans un état pareil en dormant ?

C'était le vin. Voilà, il n'y avait pas d'autre explication. Soudain, elle souhaita être l'homme et que lui fût la femme pour pouvoir le coucher sur le dos, le chevaucher et se soulager de ce terrible besoin.

Elle devait prendre le risque de le réveiller. Il fallait le réexpédier de l'autre côté du lit.

– Nicholas, chuchota-t-elle. Nicholas, il faut...

– Ah, tu insistes, mon amour ? (Sa main monta jusqu'à son menton, la forçant à se tourner vers lui.) Alors, si tu insistes...

Des lèvres chaudes touchèrent les siennes, doucement d'abord, puis passionnément. La main sur son cou se mit à la caresser, la faisant frissonner de partout.

– Ah, mon amour, murmura-t-il d'une voix rauque en taquinant de la langue le lobe de son oreille, tu devrais insister plus souvent.

Reggie était submergée par la sensualité. Quelle importance s'il n'était pas vraiment réveillé et s'il ignorait ce qu'il faisait ? A son tour, elle le saisit par le cou et l'attira contre elle.

Nicholas aurait voulu hurler son triomphe. Son stratagème avait fonctionné. Il couvrit son cou de baisers brûlants. Rapidement, d'une main experte, il dénoua le ruban de sa chemise de nuit et, d'un geste, l'en débarrassa.

La main de Reggie se posa sur son épaule. Ses muscles puissants frémirent quand elle le toucha. Elle eut soudain conscience du pouvoir qu'elle avait sur lui. Il était impossible de faire demi-tour maintenant. Qu'il le sût ou non, il était à elle pour la nuit.

Elle explora son dos. Sa peau était ferme et chaude. Elle le frôla, puis le pétrit, puis le frôla encore, savourant le plaisir de pouvoir enfin le toucher à nouveau. Quant à lui, il n'était pas en reste, faisant de son mieux pour lui rappeler leur première fois. Ses lèvres tracèrent un brasier de son cou à ses cuisses. Nicholas s'enivrait de son odeur, du goût de sa peau. Elle était aussi délicieuse, aussi soyeuse que dans son souvenir. La grossesse n'avait en rien changé son corps merveilleux, à l'exception de ses seins, si pleins à présent. Il n'osait les toucher malgré la terrible envie qui le taraudait, mais ils appartenaient à l'enfant et il ne voulait pas lui rappeler le bébé maintenant. Il ne voulait pas qu'elle pensât à autre chose.

Reggie se tordait sous ses caresses. Son cœur battait à se rompre. Si Nicholas n'arrêtait pas bientôt de la torturer ainsi, elle n'allait pas tarder à le supplier...

Il dut lire dans ses pensées car son grand corps l'écrasa soudain avec délicatesse. Elle noua les jambes autour de sa taille au moment où il la pénétra. Il l'emplit d'un coup avec une facilité extraordinaire.

Sa bouche se referma sur la sienne, avalant ses cris d'extase. Elle réagissait à chacun de ses plongeons, les bras verrouillés autour de son cou, les doigts fouillant ses cheveux.

La jouissance les emporta tous deux vers des sommets foudroyants. Leur plaisir était immense et partagé. Comme leur passion. Une même vague les plongea dans l'inconscience et ils s'endormirent dans les bras l'un de l'autre...

32

Un coup à la porte réveilla Nicholas et il eut immédiatement conscience de deux faits : il était allongé près de Regina, et la personne qui avait frappé n'allait pas attendre d'être invitée pour entrer.

S'éveiller au côté de sa femme constituait une merveilleuse surprise. Il se tourna vers la porte et étouffa un juron. La femme de chambre de Regina se trouvait là, une chandelle dans une main, Thomas dans l'autre. Elle faisait une drôle de tête.

– Vous pourriez attendre qu'on vous dise d'entrer, grommela-t-il.

Meg ne fut pas le moins du monde intimidée.

– Je n'attends jamais, milord, quand je frappe à la porte de Lady Reggie.

– Eh bien, cette fois, Lady Reggie n'est pas seule. Si vous voulez bien vous retourner, je pourrais me rendre présentable.

Meg sursauta quand il se leva sans autre avertissement. Elle fit volte-face, éclaboussant le sol de cire. Que fabriquait-il dans le lit de Reggie ?

– Je suis prêt. Quel est votre problème ?

Meg serra les dents. Elle jeta un regard hésitant

par-dessus son épaule mais il était tout près d'elle et lui bloquait la vue du lit.

– Sait-elle que vous êtes ici ? demanda-t-elle, soupçonneuse.

Nicholas éclata de rire.

– Ma bonne dame, de quoi m'accusez-vous ?

Meg se redressa avec raideur, ayant du mal à trouver ses mots.

– Que se passe-t-il pour que vous veniez ici au milieu de la nuit ? reprit Nicholas.

– J'amène Lord Thomas pour sa tétée.

Comment avait-il pu oublier si vite que cet enfant avait besoin d'attention ?

Comme si elle avait lu dans ses pensées, Meg reprit la parole :

– Oui, c'est astreignant mais cela ne durera plus bien longtemps. Il a déjà fait des nuits complètes. C'est le voyage et la chambre inconnue qui l'ont réveillé ce soir.

– Très bien, laissez-le-moi.

Abasourdie, Meg eut un mouvement de recul.

– Je vous demande pardon, milord, mais ne vaudrait-il pas mieux que vous quittiez la chambre un instant ?

– Moi non, répliqua fermement Nicholas. Mais vous, oui. Non, ma chère, je n'ai nullement la prétention de satisfaire ses besoins, alors ne me regardez pas comme ça. Je vais le confier à sa mère et je vous le rendrai ensuite. Compris ?

Il tendit les bras vers Thomas et Meg n'eut d'autre alternative que de lui donner.

– Attention, prévint-elle, il faut soutenir son cou... voilà, comme ceci. Ce n'est pas une poupée, vous savez.

Son regard de travers la fit fuir.

Nicholas soupira. Il n'avait pas le choix : il fallait la réveiller. Et il n'en avait aucune envie. Elle avait assez dormi pour que les effets du vin soient dissipés. Sa présence la choquerait. Ah, si seulement le bébé pouvait téter sans la réveiller ! Ses beaux seins étaient déjà dénudés et elle était sur le côté. L'enfant saurait-il se débrouiller tout seul ?

Il déposa tout doucement le bébé auprès de Regina. Rien ne se passa. Nicholas fronça les sourcils. Pourquoi cela ne marchait-il pas ? Les bébés ne possédaient-ils pas une sorte d'instinct ? Il tourna le petit visage de façon que ses lèvres frôlent un mamelon. Mais Thomas détourna la tête et émit des petits bruits frustrés.

Exaspéré, Nicholas s'allongea derrière Thomas et, le serrant contre lui, guida sa bouche vers le téton. Il le maintint en place jusqu'à ce qu'il commençât à sucer.

Nicholas sourit, satisfait de lui-même et du bébé. Le soutenant solidement de sa main derrière la tête, il observait la mère et l'enfant. Chaque nouveau père, pensait-il, doit connaître une chance pareille...

Il en riait presque de joie, extrêmement fier de son intelligence. C'était son fils – il en était persuadé à présent – et il l'avait aidé à se nourrir. Il comprenait un peu ce que devait éprouver Regina en lui donnant le sein. C'était une sensation merveilleuse.

A les contempler, il était à nouveau empli de tendresse, comme quelques heures plus tôt. Et d'un sentiment de possession. Sa femme, son fils...

Nicholas portait le bébé avec beaucoup d'aisance quand il le ramena dans la chambre que Meg partageait avec la nourrice. Il s'était même débrouillé pour retourner la mère et l'enfant afin qu'il tétât l'autre sein. Et tout cela sans la réveiller !

Meg ouvrit la porte, faisant grise mine. Il le remarqua.

– Dites-moi, Meg, votre animosité à mon égard vous est-elle personnelle ou bien réflète-t-elle les sentiments de votre maîtresse ?

Meg, bien plus âgée que Nicholas, possédait assez d'audace pour dire ce qu'elle avait sur le cœur.

– Les deux. Vous n'auriez pas dû revenir. Elle s'en sortait très bien sans vous et elle ira encore mieux quand vous serez parti.

– Parti ? (Il était vraiment choqué.) Je devrais partir alors que je viens à peine de revenir ?

– C'est ce que vous voulez, non ? Vous n'aviez aucune envie de l'épouser. Elle a eu largement le temps de s'en rendre compte.

– Et si je ne pars pas, Meg ? demanda-t-il avec douceur.

Elle refusa de céder.

– Elle fera de votre vie un enfer. Et vous le méritez, si je peux me permettre, milord. Tess et moi, nous n'avons pas élevé une jeune fille insipide, je peux vous l'assurer. On nc blesse pas une Malory deux fois.

Nicholas hocha la tête. Il en avait assez entendu. Si quelqu'un connaissait les vrais sentiments de Regina, c'était bien Meg, et celle-ci était assez franche pour lui dire la vérité. Il n'y avait donc aucun espoir pour Regina et lui ?

33

Il était 8 h 15. Meg arpentait la chambre en lissant la robe violette à manches courtes que Reggie porterait aujourd'hui. Assise au bord du lit, celle-ci jouait gaiement avec Thomas. Elle l'avait déjà nourri.

– C'est étonnant qu'il ait patienté toute la nuit, tu ne trouves pas, Meg ? Je pensais que tous ces bouleversements l'énerveraient.

– Mais je l'ai amené, cette nuit.

Etonnée, Reggie leva les yeux.

– Milord me l'a ramené comblé et endormi, ajouta Meg. Et à moins que les hommes ne soient faits différemment ces jours-ci...

– Nicholas te l'a ramené ?

– Oui. Ah, je sais pourquoi tu ne te souviens pas. Je l'avais bien dit : avec tout ce vin...

– Oh, arrête, la coupa Reggie. Bien sûr que je me souviens. J'avais juste oublié... Rien, ça ne fait rien. Tu veux bien le confier à Tess ? J'ai l'impression que j'ai un début de migraine.

– Pas étonnant, avec ce...

– Meg !

La porte close, Reggie se rallongea. Que se passait-il ? Elle savait que Nicholas avait passé la nuit avec elle. Elle se souvenait qu'il était venu dans la chambre et qu'il s'était aussitôt endormi. Ce qui s'était passé ensuite... Non, cela elle ne pouvait l'oublier. Alors, pourquoi ne se souvenait-elle pas d'avoir donné le sein à Thomas ?

Soudain, elle ne fut plus sûre de rien. Peut-être s'était-elle endormie juste après Nicholas ? Peut-être avait-elle rêvé la suite ? Puis elle se rappela qu'à son réveil, elle portait sa chemise de nuit. Tout n'avait donc été qu'un rêve ?

La déception la submergea comme une vague.

Plus tard ce matin-là, alors qu'ils se trouvaient dans la voiture, elle constata que Nicholas était d'une humeur de chien. Il daignait à peine leur adresser la parole. Quelle différence avec le dîner de la veille ! Que s'était-il passé ?

L'arrivée à Silverley procura aux trois femmes un réel soulagement. On les attendait. Les portes de la grande demeure étaient ouvertes et une foule de domestiques se tenaient prêts à décharger les bagages. Il semblait que chaque serviteur du domaine mît un point d'honneur à accueillir le maître. Même la comtesse se tenait en haut des marches du porche.

Avec un temps de retard, Reggie comprit qu'une partie de cette agitation était due à Thomas, le nouveau lord. Un par un, les gens essayaient d'apercevoir le bébé.

Miriam adressa un regard dur à Thomas avant de toiser Reggie et Nicholas :

– Ainsi, vous avez ramené ce bâtard ici !

Eleanor laissa échapper un cri. Foudroyant sa sœur du regard, elle se rua dans la maison. La pauvre Tess devint écarlate, remerciant le Ciel que l'impétueuse Meg eût été trop loin pour entendre cette remarque.

Nicholas, debout derrière Reggie, se figea sur place mais aucune émotion ne se lut sur ses traits. Cette insulte, il en était certain, s'adressait à lui et non au bébé. Miriam ne changerait jamais. Elle ne pouvait s'empêcher de cracher son venin.

Les joues rouges de colère, Reggie ne broncha pas, fixant la comtesse. Celle-ci appréciait visiblement son petit effet.

– Mon fils n'est pas un bâtard, Lady Miriam, dit Reggie d'une voix sourde. Si jamais vous répétez cette injure, je pourrais devenir violente.

Sans lui laisser le temps de répliquer, elle s'engagea dans la maison. Tess lui emboîta le pas, laissant Nicholas seul devant sa mère furieuse.

– Vous auriez dû être plus explicite, mère. (Il l'appelait ainsi car il savait qu'elle ne le supportait pas.) De nos jours, les bâtards courent les rues.

– Comptez-vous rester cette fois-ci ? demanda-t-elle froidement.

Aussi loin qu'il s'en souvenait, elle avait toujours pris soin de le vouvoyer, même quand il était enfant. Il eut un sourire moqueur.

– Oui, je compte rester. Des objections ?

Ils savaient tous deux qu'il n'y en aurait pas. Silverley appartenait à Nicholas et elle n'y vivait que parce qu'il la tolérait.

Elle était la veuve de son père. Aux yeux du monde, elle était sa mère. Il ne pouvait la jeter dehors. Jusqu'à présent, il avait toujours été plus simple pour lui de ne pas vivre ici. Mais à présent, sa femme et son fils demeuraient à Silverley. Miriam ne l'en chasserait plus.

Il passa le reste de la journée seul dans la bibliothèque, sa pièce préférée, à boire et à compulser les livres de comptes, tenus par Miriam. Ils étaient incompréhensibles, naturellement. Miriam voulait être seule à les utiliser.

Quand il monta se changer pour dîner, son humeur ne s'était pas améliorée. Loin de là. Il n'avait cessé de se torturer à propos de Regina. Et de se ronger de remords. Il lui avait remis sa chemise de nuit tant bien que mal pour lui éviter de se sentir gênée quand sa femme de chambre viendrait la réveiller. Même si apparemment elle ne se souvenait de rien, il savait qu'il avait triché. Mais bon sang, son désir pour elle était plus fort que tout...

Trois servantes quittaient le boudoir séparant les deux chambres de maîtres.

– Où allez-vous avec tout ça ? aboya Nicholas.

L'une portait un panier de chaussures, les deux autres étaient surchargées de robes.

Les malheureuses blêmirent, incapables de répondre. Reggie surgit derrière elles et se porta à leur rescousse.

– Pourquoi leur criez-vous après ?

– Vous n'aimez pas vos appartements ? interrogea-t-il, se demandant pourquoi elles emportaient ces vêtements.

– Au contraire, ils me plaisent beaucoup. Ces jeunes femmes enlèvent les affaires de Lady Miriam, comme elles l'ont déjà fait. Elle est revenue s'installer ici en s'imaginant que je ne reviendrais pas.

Cela n'apaisa pas Nicholas. Il était trop malheureux pour être apaisé.

– Vous ne seriez pas revenue si je n'avais pas insisté.

Reggie haussa les épaules.

– Je suis allée à Londres pour être auprès de ma famille au moment de la naissance de Thomas.

– Bien sûr, votre chère famille, ironisa-t-il. Eh bien, elle est bien loin de vous à présent, madame, et j'en remercie le Ciel. Vous n'irez plus vous réfugier chez eux.

Reggie se raidit. Ses yeux en amande se plissèrent dangereusement.

– Je ne me suis jamais réfugiée chez eux, monsieur. Mais si l'envie m'en prenait, je le ferais.

– C'est hors de question ! s'écria Nicholas. Et autant que vous le sachiez tout de suite, vos maudits oncles ne sont pas les bienvenus dans cette maison !

– Vous... vous n'êtes pas sérieux ?

– C'est ce qu'on verra !

– Oh ! Par tous les...

Elle n'acheva pas sa phrase.

Faisant volte-face, elle réintégra sa chambre et lui claqua la porte au nez. Nicholas contempla le battant une demi-seconde avant de l'ouvrir avec une brutalité inouïe.

– Je vous interdis de partir quand je vous parle ! rugit-il depuis le seuil.

Reggie se retourna, surprise mais nullement intimidée. Elle avait trop longtemps retenu sa propre colère.

– Vous ne parliez pas ! cria-t-elle aussi fort que lui. Vous hurliez des insanités. Ne croyez pas que vous allez me donner des ordres, monsieur, car je ne les accepterai pas ! Je ne suis pas votre servante !

– Et dites-moi, je vous prie, ce que vous êtes ?

– Votre femme !

– Exactement ! Ma femme. Et si l'envie me prend de vous donner des ordres, personne ne m'en empêchera !

– Sortez ! hurla-t-elle. Dehors !

Elle referma la porte avec violence. Nicholas serra les dents mais n'essaya pas de l'en empêcher, ni de la rouvrir. Elle venait de le bannir de sa chambre, accomplissant ainsi le geste symbolique auquel il s'était toujours attendu. Il contemplait la porte fermée et ne voyait qu'une barrière colossale... infranchissable.

34

– Il me faut, j'imagine, vous prévenir que j'attends des invités pour le week-end.

L'annonce de Miriam attira tous les regards sur elle. Ils dînaient dans la grande salle à manger, Nicholas à un bout de l'immense table, Reggie à l'autre. A cette distance, il ne leur était possible d'entrer en contact qu'en criant. Cela convenait parfaitement à Reggie : elle n'avait pas adressé la parole à son mari depuis trois jours.

Miriam et Eleanor se faisaient face au centre de la table. Il leur était bien plus facile de communiquer mais les deux sœurs n'avaient rien à se dire.

Sir Walter Tyrwhitt se trouvait à côté de Miriam. Leur débonnaire voisin était passé les voir un peu plus tôt et la comtesse douairière l'avait invité à dîner. Comme d'habitude en présence de ce sympathique gentleman, Miriam se comportait très différemment. Elle était presque chaleureuse.

Tyrwhitt était un homme aimable. D'âge moyen, en réalité un petit peu plus jeune que Miriam, il possédait des traits réguliers et un air distingué avec les mèches grises qui parsemaient sa chevelure sombre. Ses yeux verts avaient une rondeur joviale. Fermier jusqu'au bout des ongles, il était intarissable et d'un sérieux drolatique sur les labours, les semailles et la pluie.

Nicholas se montrait accueillant envers leur invité, surprenant tout le monde car depuis trois jours il était insupportable. Il bavardait gaiement avec Sir Walter, faisant preuve d'une réelle connaissance des problèmes agricoles. Cette attitude stupéfiait Reggie. Elle ne le savait pas si connaisseur en la matière. En fait, elle ne savait pas grand-chose de son mari.

Mais son amabilité n'englobait pas sa propre épouse. Tous les autres en bénéficiaient. Même Miriam recevait des réponses polies, sinon cordiales. Sa façon d'ignorer Reggie était d'autant plus cruelle. Elle lui faisait mal. Reggie n'était plus en colère après lui, car elle restait rarement longtemps fâchée. Elle avait mal parce qu'elle était incapable d'oublier son rêve. Il avait semblé si réel. Elle ne pouvait oublier l'étreinte de ses bras, avec quelle volupté il lui avait fait l'amour... Idiote qu'elle était !

Une déclaration de Miriam à propos des invités ne parut pas enchanter Nicholas.

– Tout le week-end ? demanda-t-il, agacé.

– Oui. J'espère que cela ne vous dérange pas. Les invitations étaient parties avant votre retour. Je ne vous attendais pas.

– Et vous ne vous attendiez pas non plus que je reste, fit sèchement Nicholas.

Eleanor intervint avant que la discussion ne dégénérât :

– Je trouve que c'est une excellente idée. La saison de Londres ne commencera pas avant une semaine ou deux. Combien de personnes attends-tu, Miriam ?

– Seulement une vingtaine. Tous ne dormiront pas ici.

– Cela ne vous ressemble guère, madame, commenta Nicholas. Que célébrez-vous ?

Miriam se tourna complètement vers lui afin de cacher son regard meurtrier à Sir Walter.

– Faut-il célébrer quelque chose ?

– Non. Quoi qu'il en soit, si vous commencez à apprécier les soirées mondaines, je vous suggère de vous rendre à Londres cette année et d'en profiter. Ma maison de ville est à votre disposition maintenant que mon épouse a eu l'heureuse idée de la redécorer.

– Et laisser Silverley à l'abandon ? Il n'en est pas question, répliqua Miriam avec raideur.

– Je vous assure, madame, que je m'efforcerai de veiller sur la propriété. J'en suis parfaitement capable, ne vous en déplaise.

Miriam ne mordit pas à l'hameçon. Elle ne voulait pas se disputer avec lui devant Sir Walter. Tant mieux ! songea Nicholas. Cela n'en devenait que plus amusant. Mais Ellie le foudroyait du regard et le pauvre Tyrwhitt ne savait plus où se mettre. Regina, la douce Regina, contemplait son assiette, évitant son regard. Il soupira.

– Pardonnez-moi, mère. Je ne souhaite nullement vous éloigner d'ici ou laisser entendre que vous manquez de confiance dans votre fils unique. (Elle tressaillit, ce qui le fit sourire : il lui restait encore quelques menus plaisirs.) Donnez cette réception. Je suis sûr que tante Ellie et mon épouse seront ravies de vous aider.

– Tout est déjà réglé, annonça vivement Miriam.

– Voilà qui clôt le chapitre, n'est-ce pas ?

Nicholas se remit à manger et Reggie secoua la tête. La comtesse n'avait rien fait pour provoquer Nicholas ce soir. Pourquoi se montrait-il aussi désagréable ?

Dès que les ladies laissèrent les hommes à leur cognac, elle se retira dans ses appartements. Thomas dormait et Meg se trouvait dans l'aile des domestiques avec Harris. Il était trop tôt pour aller se coucher, mais elle n'avait aucune envie de redescendre. Etre ignorée par son propre mari devant des étrangers était profondément embarrassant.

Nicholas remarqua son absence à l'instant où il pénétra dans le salon. Il se dirigea droit vers Eleanor.

– Où est-elle ? interrogea-t-il abruptement.

– Dans ses appartements, sans doute.

– Si tôt ? Elle est malade ?

– Tu ne t'intéressais pas autant à elle tout à l'heure.

– Pas de sermons, tante Ellie. J'en ai jusque-là.

– Et voilà, tu continues à faire ta tête de mule, soupira-t-elle. Ce qui ne fait que te rendre encore plus malheureux... admets-le.

– Sornettes ! Et tu ne sais pas toute l'histoire, tante Ellie.

– Peut-être. Mais quoi qu'il en soit, la façon dont tu as ignoré cette pauvre Reggie est déplorable. Tu ne lui as pas dit deux mots depuis notre arrivée.

– Beaucoup plus que deux, je t'assure.

– Oh, quand tu t'y mets, tu es vraiment exaspérant, Nicholas ! fit Eleanor en veillant à ne pas élever la voix. Tu ne veux pas reconnaître que tu as eu tort, que tu as une femme merveilleuse et aucune bonne raison de ne pas l'adorer.

– Je veux bien reconnaître ça. C'est ma femme qui regrette à présent d'avoir choisi son mari. Je le lui avais dit. Quelle sinistre ironie ! Découvrir qu'on a raison alors qu'on aurait tant souhaité avoir tort.

Les yeux tristes, elle le regarda s'éloigner. Comme elle aurait voulu l'aider... Mais c'était son problème, qu'il devait résoudre seul.

Bien plus tard, Nicholas entra dans le boudoir qui séparait sa chambre de celle de Regina et eut la surprise de l'y trouver. Blottie dans un sofa, elle lisait, vêtue d'une robe de chambre de satin bleu vif qui moulait à la perfection sa silhouette délicieuse. Sa longue chevelure flottait autour d'elle, tel un nuage noir. Elle baissa son livre et le regarda.

C'était un regard direct. Qui eut sur lui le même effet foudroyant que d'habitude. Bon sang ! Il allait encore passer une nuit à se retourner dans son lit.

– Je pensais que vous étiez couchée.

La frustration rendait sa voix brutale.

– Je n'étais pas fatiguée.

– Vous ne pourriez pas lire dans votre chambre ?

Elle parvint à rester de marbre.

– J'ignorais que cette pièce était réservée à votre usage exclusif.

– Elle ne l'est pas, mais si vous voulez vous allonger à moitié nue, faites-le dans votre lit.

Il lui lança un regard noir avant de passer dans sa chambre.

Reggie se redressa. Au temps pour elle ! Comment avait-elle pu s'imaginer qu'elle était capable de le séduire ? Elle n'avait réussi qu'à éveiller sa colère. Elle ferait bien de s'en souvenir désormais.

35

– C'est simple, j'adore ta maison, Nicky, s'extasia Pamela Ritchie en le rejoignant dans la bibliothèque. Elle a de la... classe ! Ta mère a eu la bonté de me faire visiter.

Nicholas sourit vaguement sans répondre. Venant de n'importe qui d'autre, il aurait apprécié cet éloge. Mais, au cours de la torride relation qu'ils avaient eue pendant deux semaines quelques années plus tôt, il avait appris que Pamela disait rarement ce qu'elle pensait. Oh, bien sûr, Silverley l'impressionnait, mais sûrement parce qu'elle regrettait de ne pas être la maîtresse des lieux.

Les créatures comme Pamela et Selena finissaient toujours par l'irriter : elles étaient trop hypocrites, trop versatiles. A l'époque de ses folles escapades, il avait appris à connaître les femmes. Il n'avait été en réel danger qu'avec une seule d'entre elles : la belle Caroline Symonds. Fort heureusement, elle était mariée au vieux duc de Windfield. Il n'avait plus vu Lady Caroline depuis trois ans et la douleur de leur séparation était depuis longtemps oubliée.

Sans y être invitée, Pamela s'assit sur le rebord d'une chaise près de son bureau.

– Nous nous demandions où tu étais passé, Nicky. On a servi le thé au salon. D'autres invités sont encore en train d'arriver. Je ne les connais pas et... Oh, ta délicieuse épouse a enfin fait une apparition. Une fille douce, charmante. Bien sûr, je l'avais déjà rencontrée, tu sais, il y a deux saisons de cela. C'était une vedette à l'époque. Tous les jeunes coqs guettaient le moindre de ses sourires. J'étais même un peu envieuse, jusqu'à ce qu'il devienne évident que... eh bien, que quelque chose n'allait pas chez elle, la pauvre.

Il savait depuis le début que ce bavardage idiot avait un but. Mais, même préparé, il se raidit.

– Et je suis censé te demander ce que tu entends par là ?

Elle laissa échapper un rire agaçant.

– J'espérais que tu me le dirais. Tout le monde meurt d'envie de savoir.

– De savoir ? répéta sèchement Nicholas.

– Eh bien, quel est le problème avec ta femme ?

– Je n'ai aucun problème avec ma femme, Pamela.

– Oh, tu ne veux pas te confesser ? C'est galant de ta part, Nicky, mais pas très éclairant. Tu as déclenché un fameux remue-ménage. Ce n'est pas tous les jours qu'un de nos célibataires les plus convoités, se marie puis abandonne sa femme pratiquement devant l'église. La rumeur prétend qu'un des oncles de Lady Regina t'a ramené à elle... enchaîné.

Elle n'eut pas, comme elle l'avait espéré, la satisfaction de le voir piquer une crise de rage. Seule la tension de ses mains trahissait sa colère. Pamela gardait plus de rancœur envers cet homme qu'envers tous ses autres amants réunis. Elle avait formé des plans sérieux avec Nicholas Eden et il les avait réduits à néant. Maudite crapule ! Elle était ravie de le voir avec une épouse qui ne lui convenait pas.

– Cette rumeur est une absurdité, répliqua-t-il. Je suis revenu en Angleterre avec James Malory car il a bien voulu me prendre à son bord alors que j'étais bloqué dans les colonies. Et désolé de te décevoir, mais ce sont uniquement mes affaires qui m'ont éloigné de ma femme. Une urgence dans une plantation.

– Un autre aurait emmené sa toute nouvelle épouse avec lui... Pour une longue lune de miel et tout ça, fit-elle, mauvaise. Bizarre que tu n'y aies pas pensé.

– Je n'avais guère de temps et...

Il s'arrêta car elle se levait, souriante, prête à partir.

– Je vais bien m'amuser à vous observer tous les deux. Ce n'est pas fréquent d'organiser des réceptions si tôt après le mariage...

Elle laissa sa phrase en suspens.

– Cette petite réunion n'est pas mon idée.

– Oui, ta mère a envoyé les invitations. Mais elle a sûrement dû te consulter, non ? Tu sais ce qu'on dit : rien ne vaut la fête pour éviter l'ennui. J'espère simplement que tu ne comptais pas sur moi pour te divertir. Les hommes mariés ne m'attirent pas... si tu vois ce que je veux dire.

Elle s'en fut avant qu'il pût répondre. Nicholas, toujours assis, contemplait la porte. Il venait d'être proprement éconduit sans avoir fait la moindre proposition. La chipie !

Un immense sentiment protecteur l'envahit. Un problème avec Reggie, et puis quoi encore ! Il quitta la bibliothèque, bien décidé à trouver sa femme et à se dévouer entièrement à elle jusqu'au départ du dernier invité. Mais quand il passa devant le porche, il aperçut Selena Eddington descendant de son cabriolet. Rageur, il se dirigea vers Miriam qui se tenait dans l'entrée.

– J'ignorais que vous vous étiez autant inquiétée de mes fréquentations durant toutes ces années, lui dit-il. Quelle dévotion ! Bien sûr, cela vous a permis d'inviter tous ceux que je ne souhaitais pas voir.

– Il se trouve en fait, répondit-elle avec un mince sourire, qu'il existe beaucoup de gens bien intentionnés qui estiment qu'une mère doit être informée des activités de son fils. Vous n'imaginez pas le nombre de beaux discours que j'ai dû supporter en faisant bonne figure, alors que je me fichais éperdument que mon soi-disant fils se fût noyé dans la Tamise. (Elle lui lança un regard de pure haine.) Mais aujourd'hui, ces renseignements ont leur utilité.

En proie à une rage abominable, il tourna les talons. Le rire de Miriam le poursuivit.

– Vous ne pourrez vous cacher tout le week-end, Lord Montieth !

Nicholas ne se retourna pas. Qu'est-ce que cette vieille sorcière espérait accomplir en invitant ici deux de ses anciennes maîtresses ? Et, Seigneur, combien de mauvaises surprises l'attendaient encore ?

36

Le salon était surpeuplé. La vingtaine d'invités de Miriam dépassait en réalité la trentaine. Le salon de musique était ouvert et des accords de harpe s'en échappaient. Un gigantesque buffet était dressé dans la salle à manger. Les gens déambulaient d'une pièce à l'autre.

Selena Eddington n'avait guère changé depuis leur dernière rencontre. Vêtue d'une création extravagante de dentelle rose, elle donnait à Reggie avec sa sobre robe bleu nuit l'impression d'être une matrone. De temps à autre, Selena la toisait de loin avec un air moqueur et satisfait.

– Ne vous laissez pas abattre, ma chère. Cela devait bien arriver un jour ou l'autre.

Reggie se retourna vers Lady Whately qui s'était installée sur le sofa à son côté.

– Quoi donc ? s'étonna Reggie.

– Votre rencontre avec les anciennes fréquentations de votre mari. Elles sont si nombreuses...

– Si vous voulez parler de Lady Selena...

– Pas simplement elle, ma chère. Il y a la duchesse là-bas, et cette coquine de Ritchie et

Mme Henslowe, même si Anne Henslowe n'a été pour lui qu'un très bref épisode, paraît-il.

A chaque nom, les yeux de Reggie s'arrêtaient sur la personne en question. Caroline Symonds, duchesse de Windfied, était une blonde incroyablement belle à peine plus âgée qu'elle. Elle restait obstinément assise près d'un vieillard de quatre-vingts ans. Le duc de Windfield, sans doute. Comme elle devait être malheureuse avec un homme aussi âgé ! pensa Reggie.

Pamela Ritchie, Anne Henslowe, Caroline Symonds et Selena Eddington. Quatre des anciennes maîtresses de Nicholas se trouvaient dans la même pièce qu'elle, son épouse ! C'était trop lui demander. Que devait-elle faire ? Papoter avec elles ? Jouer les parfaites maîtresses de maison ?

Nicholas apparut enfin. Immédiatement, Lady Selena se pendit à son bras.

– Ne vous laissez pas troubler, ma chère, croyez-moi.

Reggie se retourna pour découvrir qu'Anne Henslowe avait pris la place de Lady Whately. Quoi ? Elle allait être réconfortée par une de ses anciennes maîtresses !

– Cela devrait me troubler ? répliqua-t-elle vertement.

Mme Henslowe sourit.

– Non. Après tout, elle l'a perdu et vous l'avez. C'est cela qu'elle ne supporte pas.

– Et vous ?

– Oh, Ciel ! Quelqu'un a jugé bon de vous prévenir. C'est bien ce que je craignais.

Reggie fut incapable de rester vexée. Cette dame faisait preuve d'une sympathie et d'une compassion réelles. Ce n'était pas une mauvaise femme. Et elle avait connu Nicholas bien avant Reggie.

– Vous n'avez rien à craindre, fit Reggie en souriant.

– Je ne m'en fais pas. J'espère simplement que vous non plus. Soyez rassurée, ma chère, Nicholas ne mange jamais deux fois le même plat.

Reggie pouffa, choquée.

– Joliment dit.

– C'est la vérité. Beaucoup ont essayé de le reprendre, et toutes ont échoué.

– Vous aussi ? demanda Reggie avec franchise.

– Ciel, non ! Il n'était pas pour moi et je le savais. Je lui suis reconnaissante de cette seule nuit passée ensemble. C'est arrivé peu après la mort de mon mari. J'étais au bord de la folie et Nicholas m'a fait comprendre que la vie n'était pas terminée. J'aurai toujours une dette envers lui.

Reggie hocha la tête et Anne Henslowe lui tapota le bras.

– Ne les laissez pas vous faire de mal, ma chérie. Il est à vous, maintenant, à jamais.

Non, il n'était pas à elle. Il ne l'avait été qu'une nuit, près d'un an auparavant.

Elle remercia la duchesse puis chercha Nicholas du regard. Il n'était pas là, ni dans le salon de musique ou la salle à manger. Ce qui laissait la véranda. Elle traversa la salle à manger et se glissa dans la grande pièce vitrée. Il y avait juste assez de lumière pour distinguer la fontaine intérieure, pour voir la dentelle rose et les boucles noires de Selena Eddington dont les bras étaient noués autour du cou de Nicholas.

– Vous appréciez votre tour du propriétaire,

Lady Selena ? demanda Reggie en se dirigeant vers eux.

Ils se séparèrent brusquement. Selena eut le tact de paraître gênée. Mais pas Nicholas. Au contraire, il était livide de colère. Une boule douloureuse serra la gorge de Reggie. Il regrettait d'avoir été interrompu !

Elle fit volte-face et s'enfuit aussi vite qu'elle le put. Nicholas l'appela mais elle accéléra le pas. L'odieux personnage ! Comment avait-elle pu être assez stupide, assez idiote pour espérer encore ?

En arrivant dans le couloir, Reggie s'immobilisa. Non, elle ne fuirait pas, elle n'irait pas se cacher parce que son cœur se brisait. Les Malory valaient mieux que cela.

Elle pénétra à nouveau dans le salon, arborant le sourire forcé qu'elle avait affiché toute la journée. Calmement, elle prit un siège et se plongea dans une conversation avec Faith et Lady Whately.

Nicholas entra dans la pièce à l'instant où elle s'asseyait. Un regard vers elle et il eut l'impression qu'un terrible fardeau l'écrasait. Elle était parfaitement calme. Qu'espérait-il ? Des larmes ? Pour éprouver de la jalousie, il faut aimer. Que le diable emporte Selena ! Le prenant par surprise, elle avait lancé ses bras autour de son cou. S'était-elle rendu compte de l'arrivée de Reggie ? Possible. Selena l'avait mis au défi de lui faire visiter la maison. Il avait tout d'abord refusé, mais quand elle l'avait soupçonné d'avoir peur d'être vu avec elle, de n'être plus son propre maître, il avait cédé. Comme un parfait idiot, il l'avait traînée de pièce en pièce. L'imbécile !

Il étudia à nouveau Regina et leurs regards se

croisèrent. Elle se détourna immédiatement mais il eut le temps de déceler sa fureur.

Nicholas retrouva espoir. Il grimaça un sourire. Si elle s'en moquait, pourquoi était-elle aussi enragée ? Il approcha d'un pas décidé.

– Puis-je me joindre à vous, mesdames ? Mes devoirs d'hôte me privent de la compagnie de ma belle épouse.

– Il n'y a pas de place, Nicholas, répliqua Reggie.

Et c'était vrai : l'ample postérieur de Lady Whately occupait la moitié de la banquette. Mais ni cela ni le ton de Reggie ne le découragèrent.

Il attrapa sa « belle épouse » par le poignet, la souleva, prit sa place et l'installa sur ses cuisses.

– Nicholas ! s'étrangla-t-elle.

– Ne sois pas gênée, chérie, fit-il d'un ton enjoué en la maintenant solidement.

– Lord Montieth, votre attitude est scandaleuse ! (Lady Whately était encore plus embarrassée que Regina.) Si vous tenez tant à rester auprès de votre femme, je vous cède ma place.

Elle s'en fut, aussitôt imitée par Faith. Reggie glissa sur la place ainsi libérée. Puis elle voulut partir elle aussi mais il l'en empêcha en passant un bras autour de ses épaules.

– C'était...

– Chut, murmura-t-il. On nous observe, chérie. Souriez.

Elle plissa les lèvres tout en le foudroyant du regard. Il faillit éclater de rire.

– Vous ne pouvez pas faire mieux ? reprit-il avant d'ajouter d'une voix plus douce : Ce n'était rien, vous savez.

Elle n'avait pas besoin de lui demander à quoi il faisait allusion.

– Bien sûr que non, ironisa-t-elle.

– Je vous assure. Elle a essayé de me séduire et elle a échoué. C'est tout.

– Oh, je vous crois, milord, rétorqua-t-elle, glaciale. Je vous crois car on m'a déjà expliqué ce soir que vos anciennes maîtresses ne vous intéressent pas. L'une d'entre elles l'a joliment dit : « Il ne mange pas deux fois le même plat. » Je vous crois donc plutôt que de croire ce que mes yeux ont vu.

– Vous êtes jalouse.

– Sottise !

Il eut un sourire diabolique.

– Votre informatrice n'avait pas tout à fait raison, chérie. Si vous étiez le repas, je mangerais volontiers dans le même plat, deux fois, trois fois, cent fois, jusqu'à m'en étouffer.

– Oh ! s'exclama-t-elle. Je ne suis pas d'humeur à apprécier vos plaisanteries. Bonne nuit, monsieur !

Elle bondit avant qu'il ne pût la retenir et quitta la pièce. Il la laissa partir, esquissant un sourire. La petite réception de Miriam avait du bon après tout : elle allait peut-être lui permettre de regagner sa femme. Si elle apprenait qu'elle était en train de l'aider, cette vieille chipie en mourrait ! Son sourire s'élargit. Il retrouva sa bonne humeur habituelle.

37

Le soleil brillait et les deux salles à manger avaient été ouvertes pour permettre aux nombreux invités de prendre leur petit déjeuner. Sur les longs buffets étaient alignés des plateaux couverts d'œufs, de harengs fumés, de jambon et de saucisses, de toasts de toutes sortes, de gâteaux et de beignets. Il y avait aussi six confitures différentes, du chocolat chaud, du thé, du café et de la crème. Des laquais veillaient à ce que les plats ne désemplissent jamais.

Il était tôt et beaucoup dormaient encore. Reggie était descendue car Thomas l'avait réveillée à l'aube. Elle n'avait pu se rendormir. Elle avait passé une très mauvaise nuit.. par la faute de Nicholas.

Bien sûr, elle avait toujours su à qui elle avait affaire mais – que le diable l'emporte ! – ne pouvait-il attendre d'être retourné à Londres pour s'afficher avec d'autres femmes ? D'ailleurs, que faisait-il à Silverley ?

Elle aurait dû partir, elle le savait. Divorcer était hors de question, mais elle n'était pas obligée de vivre sous le même toit que lui. Elle pouvait rentrer à Haverston. Oncle Jason serait heureux de l'accueillir.

Mais elle n'avait pas le droit d'éloigner Thomas de son père. Tess lui avait appris que Nicholas passait au moins deux fois par jour dans la nursery et la flanquait dehors pour rester seul avec le bébé. Il reconnaissait enfin que Thomas était son fils... sans jamais l'admettre devant elle.

Elle poussa un soupir déchirant.

– Mon enfant, vous avez un visiteur, annonça Eleanor qui venait de la rejoindre en compagnie de Lord Dicken Barrett. George... ? Oh, je ne me souviens plus de son nom.

– George Fowler, intervint Lord Barrett.

– Ah oui, Fowler. Sayers le fait patienter dans le salon d'attente. Il y a tellement de monde ailleurs.

Reggie se leva et se tourna vers Sayers qui arrivait à son tour.

– Le salon d'attente ne convient pas pour George. Conduisez-le dans la bibliothèque. Elle devrait être disponible à cette heure-ci. Et faites porter du thé.

Elle renvoya Sayers d'un geste et se tourna vers Eleanor :

– Vous semblez un peu fatiguée, Ellie, vous auriez dû dormir davantage.

– Je me porte comme un charme, ma chérie. Nous avons un peu veillé, hier soir, il est vrai, mais je me suis beaucoup amusée. (Son regard croisa brièvement celui de Lord Barrett.) Il me faut juste ma tasse de thé. Vous connaissez ce garçon qui vous rend visite ?

– Oui. Mais j'ignore la raison de sa présence ici.

– Eh bien, allez le voir. Dicken et moi allons

grignoter un morceau avant de faire une promenade à cheval.

Eleanor, sur un cheval ? Mon Dieu !

– J'ignorais que vous aimiez monter, Ellie.

– Oh, beaucoup. Mais c'est tellement plus agréable quand quelqu'un vous accompagne. (Elle se pencha vers elle.) Nicholas et vous, vous devriez essayer.

Reggie fit une réponse peu compromettante puis quitta la pièce.

George Fowler se leva dès qu'il l'aperçut. Elle avait oublié quel jeune homme séduisant il était, avec ses cheveux bouclés d'un brun tirant sur le roux, sa fine moustache, ses yeux vert sombre et sa silhouette bien dessinée. Il était peut-être un peu petit... Non, pas vraiment. Elle devait cesser de comparer chaque homme à son mari.

– Je crains d'avoir mal choisi mon moment, s'excusa-t-il. Le garçon qui s'est occupé de mon cheval se plaignait qu'il n'y avait plus une seule place à l'écurie.

– Nous sommes un peu à l'étroit mais j'apprécie votre visite.

– Vous avez vos invités...

– Pas du tout, le rassura-t-elle. Cette réception est donnée par ma belle-mère. Elle a été décidée avant notre arrivée. La plupart des invités sont ses amis... ou ceux de mon mari. Asseyez-vous, George. (Ils prirent place l'un en face de l'autre.) Et si vous désirez rester, vous êtes le bienvenu. Vous connaissez probablement tout le monde ici et je suis sûre qu'on vous trouvera quelque chose pour la nuit, si vous êtes prêt à partager une chambre.

Il sourit gaiement.

– J'accepterais volontiers si je n'avais reçu une convocation urgente de ma mère. Elle passe des vacances à Brighton et, sur la route, je me suis dit que je pouvais faire un petit détour pour voir comment vous alliez.

Reggie sourit à son tour. Son « petit » détour représentait plusieurs heures de galop.

– Cela faisait longtemps, n'est-ce pas ?

– Très, très longtemps, confirma-t-il.

Reggie servit le thé.

– Comment va votre mère, George ?

– Aussi bien que possible, fit-il en grimaçant. Toute la famille va bien. A propos de famille, j'ai vu votre oncle Anthony, l'autre semaine, au club. Il était dans tous ses états. Il a failli en venir aux poings avec un pauvre gars qui avait eu le malheur de le bousculer par mégarde.

Reggie fit aussitôt le lien : c'était le moment où Anthony avait appris le retour de Nicholas.

– Oncle Tony est parfois de mauvaise humeur.

– Et vous ? demanda George, subitement grave.

– Si je suis de mauvaise humeur ? Parfois. Comme tout le monde, non ?

– Cela vous plaît d'être enterrée à la campagne ? Je mourrais en moins d'une semaine dans un trou pareil.

– J'aime Silverley. J'ai toujours adoré la campagne.

Il parut déçu.

– Je pensais que... peut-être... vous n'étiez pas heureuse ici. On entend des choses...

Il toussa. Etait-il embarrassé ?

– Qu'on ne devrait pas écouter, plaisanta-t-elle. Je suis heureuse, George.

Mais elle ne put le regarder dans les yeux.

– Vous en êtes sûre ?

– Elle vient de vous le dire, Fowler, commenta froidement Nicholas depuis le seuil. Et puisque à l'évidence c'est ce que vous vouliez apprendre en venant ici, je vous prie de partir.

Reggie bondit de son siège.

– Nicholas !

– Cela ne me dérange pas, Reggie, intervint George, se levant à son tour. Vraiment.

– C'est *Lady Montieth* pour vous, mon vieux, fit Nicholas d'une voix doucereuse, le regard brillant. Vous comprenez ce que je veux dire ?

Reggie n'en croyait pas ses oreilles.

– Vous n'êtes pas obligé de partir, George, je vous assure.

– Oh, mais si, il va partir ! J'insiste.

Nicholas se tourna vers le couloir et rugit :

– Sayers ! Ce monsieur nous quitte.

Reggie devint écarlate.

– Je suis désolée, George. Une telle impolitesse est inqualifiable.

George se pencha sur sa main, oubliant pour un court instant le mari jaloux qui les surveillait.

– N'y pensez plus. C'était un plaisir de vous voir, même aussi brièvement.

Elle n'attendit que deux secondes après son départ pour pousser un cri de rage et pivoter vers Nicholas, ivre de fureur.

– Comment osez-vous ? Ai-je flanqué vos catins dehors, moi ? Vous êtes un monstre ! Pour qui vous prenez-vous ? D'abord, vous interdisez à ma famille de me rendre visite, puis voilà que vous chassez mes amis !

– Un ancien amant n'est pas ce que j'appellerais un ami.

– Ce n'est pas un ancien amant. Et c'est vous qui avez le toupet de dire ça ? Alors que *quatre* de vos anciennes maîtresses ont dormi sous ce toit cette nuit ! J'imagine que vous avez couché avec l'une d'elles, non ? Ou même avec plusieurs !

– Si vous aviez partagé mon lit cette nuit, vous sauriez avec qui j'étais.

Elle en resta bouche bée. Partager son lit après l'avoir surpris avec une autre ? Il se moquait d'elle !

– Votre conduite intolérable me facilite cette décision, monsieur. Je refuse de vivre un jour de plus avec un personnage aussi grossier. Je rentre chez moi.

Nicholas était pris de court.

– C'est *ici* chez vous, Regina.

– Plus maintenant.

– Vous ne partirez pas.

– Vous ne pouvez m'en empêcher.

– C'est exactement ce que je vais faire, croyez-moi !

Un silence s'abattit entre eux. Ils se défièrent du regard puis Regina se rua dehors.

Les épaules de Nicholas s'affaissèrent. Au nom du Ciel, pourquoi avait-il perdu la tête ainsi ? Il avait eu l'intention de se montrer charmant et enjoué avec elle aujourd'hui. D'ici demain, tout aurait été réparé. Mais qu'est-ce qui lui avait pris ? Elle avait raison : son attitude était intolérable.

38

La porte s'ouvrit avec fracas. Devant sa coiffeuse, Reggie fit volte-face, sa brosse à la main.

– Quoi ? Pas une seule malle remplie ? gronda-t-il.

Elle reposa lentement la brosse.

– Vous êtes ivre, Nicholas.

– Pas tout à fait, chérie. Juste assez pour comprendre que je me cognais la tête contre un mur pour rien.

– Vous ne savez même plus ce que vous dites.

Il referma la porte et s'y adossa, ses yeux d'ambre fixés sur elle.

– Réfléchissez. Cette maison est la mienne. Cette chambre est la mienne. La femme est la mienne. Je n'ai besoin d'aucune autorisation pour coucher avec elle.

– Je...

– Inutile de discuter, chérie.

– Vous feriez mieux de partir avant que...

– Qu'allez-vous faire ? Alerter les domestiques, les invités ? Ils n'oseront pas entrer ici. Et demain, vous seriez morte de honte.

La brute lui souriait de toutes ses dents.

– Vous n'obtiendrez rien de moi, Nicholas Eden.
– Au contraire. Et ne jouez pas les hystériques.
– Le jour où je serai hystérique, vous le saurez.
– Vous êtes bonne de vous montrer si raisonnable, chérie. Et maintenant, si vous enleviez cette jolie chose que vous portez ?
– Et si vous fichiez le camp ?
– Madame ! fit-il, faussement choqué. Si vous ne pouvez être polie...
– Nicholas ! s'écria Regina, frustrée. Je ne suis pas d'humeur à supporter vos stupidités.
– Très bien, si vous êtes pressée, je ferai vite, rassurez-vous.
Il se mit à avancer vers elle. Elle se glissa derrière le grand lit. Il continua à avancer, contournant l'obstacle.
– Arrêtez !
Elle ne reconnut pas sa propre voix. Il s'approcha encore.
Reggie bondit sur le lit et roula sur elle-même. De l'autre côté, elle jeta un regard vers lui. Il souriait. Cette poursuite l'enchantait.
– J'exige que vous sortiez immédiatement !
Il sauta à pieds joints sur le lit. Elle courut jusqu'à la porte. En l'entendant se précipiter derrière elle, elle réalisa qu'elle n'avait aucune chance de l'atteindre. Elle se réfugia derrière un fauteuil.
Nicholas alla à la porte, la verrouilla et posa la clé sur le chambranle, hors d'atteinte de Reggie.
Reggie regarda la clé, puis Nicholas. Elle attrapa un livre sur une table proche et le lui jeta au visage. Il se contenta de l'esquiver d'un geste négligent puis ôta sa veste.
– Si vous insistez, Nicholas, je vous jure que je vous arrache les yeux !

– Vous pourrez essayer, fit-il gaiement.

Il se dirigea vers le fauteuil. Au lieu d'en faire le tour, il le balaya de son chemin et la saisit par le poignet.

– Nicho...

Ses lèvres la réduisirent au silence. Un moment plus tard, il la clouait sur le lit de son grand corps. Il lui dévorait la bouche, la laissant à peine respirer. Elle lui tirait les cheveux de toutes ses forces, mais en vain. Rien ne semblait pouvoir le faire reculer. Elle lui mordit la lèvre. Il s'écarta pour la regarder, moqueur.

– Pas de ça, chérie. Comment pourrais-je vous embrasser correctement si vous m'arrachez les lèvres ? (Elle tira méchamment sur ses cheveux.) Hum, j'aurais dû vous soûler à nouveau. Vous êtes bien plus coopérative quand vous êtes ivre.

Et il l'embrassa. Reggie roulait de grands yeux. La soûler ? Alors, ce n'était pas un rêve ! Il lui avait vraiment fait l'amour cette nuit-là à l'auberge ! Et il avait échafaudé tout un plan pour y arriver ! Il la désirait assez pour la tromper... Il la désirait assez pour la faire boire... Il la désirait !

Il la dévisagea à nouveau, ses yeux d'or en fusion.

– Oh, mon amour, dit-il d'une voix rauque, aime-moi. Aime-moi comme tu le faisais avant.

Ses défenses cédèrent. Soudain, elle lui rendit ses baisers avec toute la passion dont elle était capable. Elle n'était pas faite de pierre. Elle était de chair et de sang... et son sang était en feu.

Elle attira son visage contre le sien. Ses gémissements de plaisir étaient de la musique à ses oreilles. Nicholas la désirait... la désirait vraiment. Ce fut sa dernière pensée avant que tout explose.

39

Nicholas mordilla les lèvres de Reggie.

– Bonjour, mon amour. On ne t'a jamais dit à quel point tu es belle de bon matin ?

Elle eut un sourire espiègle.

– Meg est la seule à me voir de bon matin. Et elle ne dit pas des choses qui pourraient me monter à la tête.

Nicholas éclata de rire, la serrant plus fort contre lui.

– Ta redoutable Meg ne m'apprécie guère. Je ne vois pas pourquoi. Je suis un type formidable.

– Tu es insupportable et tu le sais.

– Un insupportable type formidable.

Elle rit à son tour.

Quelle merveilleuse façon de se réveiller, pensa Reggie : se blottir contre le corps superbe de son mari. Et elle n'était pas le moins du monde fatiguée alors qu'elle avait été ardemment aimée jusqu'aux dernières heures de la nuit. Non, pas de fatigue. Elle se sentait merveilleusement bien.

Les cris de Thomas étaient la seule chose qui pouvait troubler leur idylle et ils ne tardèrent pas à les entendre.

– Je me demandais quand il se déciderait.

Reggie lui sourit.

– Je ferais bien d'aller le voir.

– Tu te dépêcheras de revenir, n'est-ce pas ?

– Absolument, monsieur.

Quand Reggie regagna sa chambre vingt minutes plus tard, elle la trouva vide. Elle vérifia dans le boudoir et dans la chambre de Nicholas. Sans succès. Elle attendit quelques minutes. Il ne revenait pas.

Où était-il allé ? Et pourquoi ? Se fichait-il d'elle maintenant qu'il avait obtenu son plaisir ? Non, elle ne devait pas penser ainsi. Il devait y avoir une explication parfaitement raisonnable.

Elle pressa Meg de l'aider à sa toilette avant de se ruer dans l'escalier. Des voix dans la salle à manger l'attirèrent. A la porte, elle se pétrifia sur place. Nicholas, vêtu uniquement d'une courte veste d'intérieur en velours vert et d'un pantalon, se trouvait devant la table du buffet. Il lui tournait le dos. Selena Eddington aussi. Selena se tenait tout près de lui, si près que son épaule lui touchait le bras. Il était penché vers elle et lui chuchotait quelque chose.

Reggie vit rouge.

– Je vous dérange... à nouveau ?

Ils firent volte-face. Il n'y avait personne d'autre dans la pièce, même pas un valet, pourtant Nicholas ne parut nullement confus. Il souriait.

– C'était inutile que tu descendes, chérie. J'étais simplement venu chercher quelques pâtisseries pour toi.

– C'est ce que je vois, répliqua-t-elle, glaciale, les yeux rivés sur Selena. Madame, ayez la bonté de faire vos valises et de quitter ma demeure avant midi.

Selena prit un air outragé.

– Vous n'y pensez pas ! J'ai été invitée par Lady Miriam.

– C'est moi la maîtresse de maison ici, pas Lady Miriam. Et nous autres, les Eden, avons la réputation de flanquer les gens dehors.

Cela dit, Reggie tourna les talons et s'en fut.

Nicholas la rattrapa dans le couloir et la saisit par le bras.

– Au nom du Ciel, qu'est-ce qui te prend ?

– Lâche-moi ! siffla-t-elle en se libérant d'un geste furieux.

Il la saisit aux épaules.

– Viens ici.

Il l'entraîna dans la bibliothèque et referma la porte derrière eux.

– Tu es devenue folle ?

– Pour avoir cru que tu avais changé ? Sûrement !

– Que veux-tu dire ?

– Mon lit est encore chaud que tu es déjà à la recherche d'une nouvelle conquête ! Vous pouvez aller faire des galipettes avec qui vous chante, monsieur, mais ne jouez plus avec moi.

– Comment peux-tu imaginer que je désire une autre femme après cette nuit ? répondit-il, sincèrement surpris. C'est ridicule. Je suis venu te chercher des gâteaux et Selena était là, c'est tout. Je voulais te ramener quelque chose à manger pour que tu ne sois pas obligée de quitter la chambre.

– Ce ne sont pas les serviteurs qui manquent dans cette maison, remarqua-t-elle.

– Ils sont débordés, avec tous ces invités. En

attendant ton retour, je me suis dit que je pouvais aussi bien m'en occuper.

– Je ne te crois pas.

Il poussa un soupir d'exaspération.

– C'est absurde, Regina. Tu n'as aucune raison valable de piquer une telle colère, et encore moins de jeter Selena dehors. D'ailleurs, je le lui ai dit.

– Tu as osé !

– Mais enfin, ta réaction est parfaitement ridicule...

– Ridicule, hein ? le coupa-t-elle. Oui, j'imagine que je suis ridicule. Et idiote, et d'une naïveté hallucinante aussi. Mais vous, monsieur, vous êtes un bâtard, un bâtard de la pire espèce. Ainsi, vous ne supportez pas que votre petite amie s'en aille ? Eh bien, qu'elle reste. Qu'elle s'installe ici, en fait, car c'est moi qui m'en vais. Et si vous essayez de m'empêcher de partir... je vous tue !

Les traits de Nicholas s'étaient soudain figés comme de la pierre. Aveuglée par la colère, Reggie ne comprit pas ce qui lui arrivait. Quand il lui tourna le dos sans répondre, elle se précipita devant lui pour lui bloquer la sortie.

– Et ne partez pas ! J'ai encore des choses à dire !

– Qu'y a-t-il de plus à dire, madame ? fit-il, amer. Vous avez fini par me le lancer au visage. Je ne peux rien y faire.

Pas de mensonges, pas d'excuses. Il était abominable.

– Vous admettez... que vous la désirez ?

– Qui ça ? grogna-t-il. Vous m'avez traité de bâtard. J'ai essayé de vous épargner, si vous voulez bien vous en souvenir. J'ai fait de mon mieux pour vous empêcher d'épouser un bâtard.

– Vous auriez pu changer.
– Comment changer les circonstances de ma naissance ?
Elle fronça les sourcils.
– Ta naissance ? Qu'est-ce qui te prend, Nicholas ? Je parle de ta conduite. Tu es un bâtard.
Un silence lourd régna pendant quelques secondes puis il demanda enfin :
– Miriam ne t'a rien dit ? Elle ne t'a jamais révélé la vérité ?
– De quoi parles-tu à la fin ? Bien sûr que Miriam m'a parlé de ta naissance. Cela lui faisait tellement plaisir. Mais qu'est-ce que cela vient faire là-dedans ? Si tu veux mon avis, tu devrais être heureux qu'elle ne soit pas ta mère.
Il eut l'impression que la foudre venait de lui tomber dessus.
– Tu... tu veux dire que... ça n'a pas d'importance pour toi ?
– Ne sois pas ridicule ! J'ai deux cousins qui sont des enfants illégitimes. Cela signifie-t-il que je les aime moins ? Bien sûr que non. Tu n'es pas responsable des circonstances de ta naissance.
Elle reprit son souffle avant de poursuivre :
– En fait, mon cher, tu possèdes une montagne de défauts sans qu'il soit nécessaire d'y ajouter celui-là. J'en ai assez d'être une moitié d'épouse. J'étais sincère tout à l'heure. Je ne resterai pas ici à te regarder renouer tes anciennes liaisons. Si je te vois encore une seule fois avec cette femme, je jure que je mettrai à profit les leçons d'escrime de Connie et que je vous étriperai tous les deux !
Il ne put s'empêcher d'éclater de rire, ce qui la fit hurler. Ce fut alors qu'Eleanor entra.

– C'est la guerre ici, mes chéris, ou bien juste une petite querelle familiale ?

– Familiale ? s'écria Reggie. Ce débauché ne sait pas ce que c'est qu'une famille. Il préfère rester célibataire à vie. Il se conduit encore comme un célibataire.

Nicholas retrouva son calme.

– Ce n'est pas vrai.

– Expliquez-lui, Ellie, fit Reggie. Dites-lui qu'il doit choisir. Soit il est un mari, soit il ne l'est pas.

Elle se rua hors de la pièce, claquant la porte derrière elle. Elle avait déjà escaladé la moitié de l'escalier quand les mots qu'il avait prononcés lui revinrent en mémoire. Elle trébucha. *J'ai fait de mon mieux pour vous empêcher d'épouser un bâtard.*

Elle s'immobilisa, le regard vide. Se pouvait-il que ce fût la raison de son épouvantable conduite ? Pourquoi n'y avait-elle pas songé plus tôt ? Nicholas croyait-il qu'elle ne supporterait pas d'être l'épouse d'un bâtard ?

Oh, l'idiot, le fou ! Reggie s'assit sur les marches tandis que son rire résonnait dans toute la maison.

40

Ce soir-là, un dîner froid fut servi sur la terrasse afin de permettre le bon déroulement des parties de croquet. Reggie descendit Thomas pour qu'il profitât des derniers rayons du soleil. Installé sur une grosse couverture, il était ravi, tournant la tête vers chaque bruit. Tous les invités vinrent saluer l'héritier des Montieth.

Beaucoup étaient déjà partis, y compris Selena Eddington. Que Nicholas lui eût reparlé ou qu'elle eût jugé plus prudent de déguerpir, Reggie n'en savait rien.

Pour l'instant, elle n'était nullement gênée en voyant Nicholas et Anne Henslowe faire équipe pour le croquet. Ils se tenaient l'un à côté de l'autre et riaient ensemble, mais cela ne la dérangeait pas. Reggie attribuait – avec raison, sa bonne humeur à tous les sourires et clins d'œil que Nicholas ne cessait de lui adresser. Comme s'ils partageaient un secret. Ils ne s'étaient pourtant pas dit un mot depuis leur dispute du matin.

Il était heureux. Reggie pensait savoir pourquoi. Et ses suppositions la rendaient aussi heureuse que lui.

Le soleil commençait à se coucher dans un magma de couleurs flamboyantes. Thomas avait suffisamment pris l'air pour aujourd'hui : il se trémoussait dans sa couverture avec un regain de vigueur. A l'évidence, il avait faim.

– C'est si paisible ici le soir, déclara Ellie. Vous allez me manquer, ce petit monstre et vous.

– Vous envisagez de partir si tôt ? s'étonna Reggie.

Ellie la considéra avec tendresse.

– Vous n'avez plus besoin de moi, ma chérie. Dicken me dit que Rebecca est intenable depuis mon départ. Et puis, il aimerait me revoir. En vérité, ce long séjour loin de Cornouailles m'a ouvert les yeux.

– Oh, Eleanor, vous voulez dire que Dicken et vous...

Eleanor sourit.

– Ces quatre dernières années, il m'a souvent demandé de l'épouser. Il est sans doute temps que j'y songe sérieusement.

– C'est merveilleux ! Nous laisserez-vous, Nicholas et moi, préparer le mariage... A moins que Rebecca... ?

– J'ai bien peur que Rebecca ne laisse ce soin à personne, déclara Eleanor, enjouée. Elle me pousse dans les bras de Dicken depuis des décennies.

Thomas poussa un féroce vagissement, réclamant leur attention.

– Oh-oh, fit Reggie, je ferais bien de m'occuper de lui.

– Revenez vite. Nicky ne vous a pas quittée de l'œil de la journée. Si vous tardez, il va vous pourchasser à travers toute la maison.

– Pas si je sais où la trouver, annonça Nicholas qui s'était approché à leur insu.

Il prit Thomas dans ses bras.

– Alors, la bête a faim ? Seigneur, mais il bave !

Il éloigna vivement le bébé de sa veste tandis que les femmes éclataient de rire. Reggie enveloppa son fils dans une couverture.

– C'est une chose que les bébés font souvent. Tiens, donne-le-moi.

– Non, je vais le porter.

Il se pencha vers elle pour lui chuchoter à l'oreille :

– Et peut-être qu'après t'être occupée de lui tu voudras bien me consacrer quelques minutes ?

La voix dure de Miriam retentit derrière eux.

– Quel charmant tableau ! Le père qui s'extasie sur son bâtard ! Vous autres, les Eden, faites de merveilleux pères, Nicholas. Dommage que vous soyez de si mauvais maris.

Nicholas fit volte-face.

– Vous ne parviendrez pas à me mettre en colère, madame. Votre misérable plan a échoué, et c'est ce qui vous chagrine.

– Je ne vois pas de quoi vous voulez parler, répliqua-t-elle avec dédain.

– Vraiment ? Laissez-moi vous remercier avant que j'oublie. Sans votre brillante liste d'invités, ma femme et moi serions encore fâchés. Nous ne le sommes plus. Et c'est à vous que nous devons notre réconciliation, *mère*.

Miriam fut incapable de retenir sa fureur :

– Je ne supporte pas que vous m'appeliez ainsi ! Et d'ailleurs, Nicholas, vous ne vous doutez pas à quel point ma liste d'invités, comme vous dites, est brillante. (Elle rit.) J'ai une merveilleuse surprise pour vous, mon cher. Voyez-vous, votre vraie mère est ici ! N'est-ce pas merveilleux ? Alors accordez-moi ce plaisir suprême : vous voir passer le reste de la soirée à demander à chacune de ces femmes si elle est bien la chienne qui vous a mis au monde. Voilà qui serait drôle !

Nicholas ne pouvait plus bouger. Tétanisé, il n'esquissa pas le moindre geste quand Miriam s'éloigna. Le cœur serré, Reggie lui enleva Thomas. Il ne parut pas s'en apercevoir.

– Oh, Nicholas, ne la laisse pas te faire du mal, murmura-t-elle gentiment. Elle n'a dit cela que par dépit.

Il tourna vers elle des yeux tourmentés.

– Tu crois ? Tu le crois vraiment ? Et si c'était la vérité ?

Désespérée, Reggie se tourna vers Ellie. La pauvre femme était grise comme de la cendre.

– Dites-lui, demanda-t-elle calmement.

Ellie fut secouée d'un frisson.

– Regina !

– Ne comprenez-vous pas ? Le moment est venu.

Nicholas, éperdu de malheur et de confusion, les dévisagea l'une après l'autre.

– Oh, Nicky, ne me déteste pas, commença Eleanor sur un ton suppliant. Miriam a parlé par dépit... mais elle a dit la vérité.

– Non ! hurla-t-il. Non ! Pas toi ! Tu me l'aurais dit...

Eleanor pleurait.

– Je ne pouvais pas. J'avais donné ma parole à Miriam de ne jamais te reconnaître. En échange, elle devait t'élever comme son propre fils.

– Et tu crois que c'est ce qu'elle a fait ? demanda-t-il avec douleur. Elle n'a jamais été une mère pour moi, Ellie, même quand j'étais petit. Tu étais présente. Tu l'as bien vu, n'est-ce pas ?

– Oui, et j'ai séché tes larmes et apaisé ton cœur à chaque fois. Et à chaque fois, j'avais l'impression de mourir un peu plus. Ton père ne voulait pas que l'on sache que tu étais un bâtard, Nicky, et moi non plus. Miriam a tenu sa parole : elle n'a rien dit. Je devais tenir la mienne...

– Elle l'a dit à ma femme. Et elle m'a fait vivre un enfer, siffla-t-il.

– Elle a bien jugé Regina. Elle savait qu'elle ne trahirait pas ton secret.

– Elle m'a toujours menacé de tout révéler.

– Menacé seulement, Nicky.

– Mais j'ai vécu avec ces menaces. Elles ont gouverné ma vie. J'aurais accepté avec joie d'être reconnu comme un bâtard si j'avais pu avoir une vraie mère. Ne l'as-tu pas compris pendant toutes ces années où je me confiais à toi ? Pourquoi ne m'as-tu rien dit ?

Eleanor sanglota.

– Pardonne-moi...

Elle s'enfuit à toutes jambes dans la maison. Reggie posa la main sur le bras de Nicholas.

– Elle avait peur de te le dire, Nicholas. Ecoute-la calmement et laisse-la te raconter tout ce qu'elle m'a raconté. Cela n'a pas été facile pour elle pendant toutes ces années.

– Tu savais ? demanda-t-il, incrédule.

– Depuis la naissance de Thomas, répondit-elle avec une infinie douceur. Elle était près de moi pendant l'accouchement et elle voulait que je connaisse la véritable raison de ton absence. Tu vois, Nicholas, j'ai commis l'erreur de ne pas comprendre à quel point c'était important pour toi. (Elle lui sourit.) Excuse-moi.

– Cela n'est plus aussi important à présent, concéda-t-il.

– Alors ne la juge pas aussi durement, et écoute-la sans te mettre en colère. S'il te plaît.

Il ne bougeait pas, contemplant la maison. Elle reprit la parole :

– Rares sont les femmes qui ont le courage d'élever un enfant illégitime. Regarde comment toi tu as réagi, après tout. Tu avais décidé de ne jamais te marier parce que tu ne voulais pas qu'une femme partage ce fardeau. Ne crois-tu pas que c'est encore pire pour la mère ? Et souviens-toi qu'elle était très jeune à l'époque.

– Toi, tu l'aurais fait, j'en suis sûr à présent.

Elle haussa les épaules.

– Oui. Mais c'est différent. Les Malory ont l'habitude d'avoir des bâtards.

Il grogna.

– Va la voir, Nicholas. Parle-lui. Tu verras qu'elle est toujours la même, celle qui a toujours été ta meilleure amie, ton plus sûr soutien. Elle a toujours été une mère pour toi. C'est maintenant à ton tour de connaître son chagrin.

Il posa tendrement la main sur son visage. Thomas gigotait de plus belle.

– Allez nourrir mon fils, madame.

Reggie s'éloigna en souriant. Comme elle traversait la terrasse, son regard croisa celui de Miriam qui se détourna brusquement. Elle secoua la tête. Miriam changerait-elle un jour ?

Elle déposa un baiser sur la joue de Thomas.

– Ne t'inquiète pas, mon ange, tu ne manqueras jamais d'amour. Attends d'être assez grand pour connaître tes grands-oncles. Tu sais, l'un d'eux a même été pirate autrefois...

41

La porte de la chambre d'Eleanor était fermée mais cela n'empêchait pas Nicholas d'entendre ses sanglots déchirants. Il pénétra sans bruit dans la pièce. Elle gisait sur le lit, le visage enfoui entre ses bras. Nicholas sentit sa gorge se nouer. Il ferma la porte et s'assit près d'elle, la prenant contre lui.

– Pardonne-moi, Ellie. Je ne voulais pas te faire pleurer. Pour rien au monde je ne voudrais te rendre triste. Tu le sais, hein ?

Elle ouvrit de grands yeux dorés brillants de larmes. Des yeux si semblables aux siens... Seigneur, quel idiot il avait été de ne pas s'en rendre compte plus tôt !

– Tu ne me détestes pas, Nicky ?

– Te détester ? Toi qui as été mon unique refuge, la seule qui m'ait toujours aimé ? (Il secoua la tête.) Tu ne peux pas imaginer le nombre de fois où j'ai rêvé que tu étais ma vraie mère. Pourquoi ne l'ai-je pas compris plus tôt ?

– Tu ne devais pas savoir.

– J'aurais dû comprendre, d'une manière ou d'une autre. Surtout quand tu as cessé de venir ici après la mort de père. Je me demandais toujours pourquoi tu venais à Silverley. Miriam et toi, vous ne vous adressiez jamais la parole. Tu venais pour père, n'est-ce pas ?

– Tu te trompes, Nicky. Ton père et moi n'avons été ensemble qu'une seule fois. Non, je venais à Silverley uniquement pour te voir. Ton père maintenait la paix entre Miriam et moi, me permettant ainsi d'être avec toi. Si je ne suis plus venue après sa mort, c'est que tu avais grandi. Tu as passé deux années en mer, puis tu t'es installé à Londres. Tu séjournais rarement à Silverley toi-même.

– Je ne pouvais pas supporter de vivre avec Miriam, dit-il, amer. Tu l'as vu toute cette semaine : cela a toujours été ainsi entre nous, Ellie.

– Tu dois la comprendre, Nicky. Elle ne m'a jamais pardonné mon amour pour Charles et tu étais la preuve vivante de son échec avec lui.

– Mais bon sang, pourquoi n'est-ce pas toi qu'il a épousée ?

Elle eut un sourire hésitant, le sourire d'une mère pour un fils obstiné.

– Charles avait vingt et un ans quand il a rencontré Miriam. Elle avait dix-huit ans et moi, mon chéri, à peine quatorze. Il ne m'a même pas remarquée. Il était fou d'elle et j'étais folle de lui. On est très impressionnable à quatorze ans et Charles était si séduisant, si gentil. Mais ils se sont mariés dans l'année.

– Pour le malheur de tout le monde. De tout le monde.

Elle secoua la tête.

– Miriam l'aimait, Nicky. Durant les premières années de leur mariage, ils ont été très heureux. Et il faut que tu le comprennes, Nicky : il n'a jamais cessé de l'aimer malgré ce qu'elle est devenue par la suite. Miriam avait tort sur ce plan-là, les Eden font des maris exceptionnels car ils n'aiment qu'une fois. Mais Charles voulait un fils et Miriam ne faisait que des fausses couches. Trois en autant d'années. Cela a provoqué une terrible tension. Elle avait peur d'essayer à nouveau, alors elle a commencé à le repousser. En fait, sa peur a eu raison de son amour pour Charles. Leur union n'a pas résisté à cette épreuve. Mais lui a continué à l'aimer.

– Tu vivais ici à l'époque ?

– Oui. Tu as été conçu ici. (Elle baissa les yeux, encore dévorée par le remords d'avoir trahi sa sœur.) J'avais dix-sept ans et j'aimais Charles. Ils avaient eu une terrible dispute ce soir-là parce qu'elle lui avait refusé son lit. Il était ivre et... c'est arrivé, Nicky. Je ne suis même pas certaine qu'il savait ce qu'il faisait. Mais moi oui. Nous l'avons tous les deux immédiatement regretté et nous avons juré que Miriam n'en saurait jamais rien. Je suis retournée chez mes parents et Charles s'est dévoué à son épouse. (Elle soupira.) Il espérait que Miriam finirait par triompher de sa peur. Ils auraient pu à nouveau être heureux.

– Et je suis arrivé ?

– Oui. Quand j'ai compris que j'allais avoir un bébé, je suis devenue folle. J'ai même pensé me tuer. Je ne pouvais rien dire à mes parents. J'étais malade d'angoisse. Finalement, au désespoir, je suis revenue à Silverley pour en parler à Charles. Dieu le bénisse, il a été fou de joie ! J'avais du mal à le croire mais il l'était vraiment. Je ne pensais qu'à moi-même, à ma ruine, mais Charles a d'abord pensé à toi. J'ai compris alors mon égoïsme : j'avais même envisagé de me débarrasser de toi. Pardonne-moi, Nicky, mais je croyais que c'était la seule issue. J'étais jeune et terrifiée, et les filles de bonne famille n'ont pas d'enfant hors du mariage.

Il la serra contre lui.

– Bien sûr, Ellie, je comprends.

– Charles te voulait, poursuivit-elle. Il était prêt à détruire son mariage pour cela. Il aurait peut-être agi différemment sans les trois fausses couches de Miriam. Il pensait qu'elle ne lui donnerait peut-être jamais d'enfant. Alors que moi j'étais là, bien réelle et enceinte de trois mois.

– Alors vous avez tout dit à Miriam.

– Ç'a été un choc affreux pour elle. Elle n'arrivait pas à le croire : sa propre sœur ! Comme elle m'a haïe depuis ce jour ! Et elle a haï Charles aussi. Elle ne lui a jamais pardonné. En fin de compte, elle s'est mise à te détester toi aussi, la seule personne innocente dans toute cette histoire. Elle n'a plus jamais été la même, Nicky. J'avais donné à Charles le fils qu'il désirait tant : c'était cela le plus atroce pour elle. Elle avait l'impression de l'avoir trahi mais c'était lui et moi qu'elle condamnait. Nous ne lui avions pas laissé une chance supplémentaire. Son amertume l'a rongée pendant des années, ne cessant jamais de croître. C'est moi la responsable de ce désastre car j'aurais pu arrêter Charles cette nuit-là. J'aurais pu mais je ne l'ai pas fait.

– Au nom du Ciel, Ellie, tu as dit qu'elle avait déjà cessé de l'aimer à ce moment-là !

– Je sais, mais son amour aurait pu renaître. (Elle observa une longue pause.) Nous sommes sœurs, tu sais. Cela compte. Elle a même oublié sa rancœur pendant l'accouchement, car cela a été très difficile et elle a cru que j'allais mourir. J'ai pu alors lui faire jurer de ne jamais te désavouer publiquement. J'espérais, sans trop y croire, qu'elle t'aimerait. A son tour, elle m'a fait jurer de ne jamais te dire que j'étais ta mère. Oh, tu ne peux savoir combien de fois j'ai failli te l'avouer, mais je ne pouvais pas. A la mort de ton père, Rebecca m'a conseillé de ne rien faire.

– Elle connaissait toute l'histoire ?

Eleanor acquiesça.

– Si Regina n'avait pas insisté, je crois que je ne t'aurais rien dit.

– Ma femme est un trésor, n'est-ce pas maman ?

C'était la première fois qu'il l'appelait ainsi. Eleanor en eut les larmes aux yeux.

– Tu as mis du temps avant de t'en rendre compte.

– Oh, j'ai toujours su qu'elle était merveilleuse. J'étais complètement fou d'elle. Mais je ne voulais pas lui faire supporter le poids de ma naissance. Alors, comment pourrais-je t'en vouloir ? Cette blessure gouvernait ma vie comme elle a gouverné la tienne.

– Tu feras la paix avec elle ?

– Je te le jure. Et toi, tu vas venir vivre à Silverley pour de bon.

– Oh non, Nicky ! C'est-à-dire que... euh... Lord Barrett et moi...

– Bon sang, tu veux dire que je vais te perdre juste au moment où je te retrouve ? s'écria-t-il, mais il était ravi pour elle. Et qui, s'il te plaît, est ce Lord Barrett ?

– Tu le connais. C'est le voisin de Rebecca. Tu l'as rencontré plusieurs fois. Et puis, Dicken et moi, nous vous rendrons souvent visite. Après tout, mon petit-fils vit à Silverley.

Ils se dévisagèrent longuement dans le plus profond silence. Il était heureux pour elle. Elle l'était pour lui. Ils avaient effectué un long et dur voyage.

42

Reggie traversa le boudoir et pénétra dans la chambre de Nicholas. A sa droite se trouvait la porte de sa penderie et juste à côté, celle de la salle de bains : une immense pièce carrée aux murs et au sol de marbre bleu pourvue de nombreux miroirs. D'immenses étagères supportaient toutes sortes de flacons, bouteilles, serviettes, un nécessaire de rasage et d'autres objets indispensables au confort du maître des lieux. La baignoire était démesurée, avec ses robinets d'eau chaude et froide en forme de cupidons.

Nicholas y était allongé, les yeux fermés, parfaitement détendu. Harris rangeait des serviettes. Il n'était que 9 heures du soir et les derniers invités de Miriam s'attardaient encore dans la maison.

– Bonsoir Harris, fit-elle gaiement.

Le valet sursauta mais se reprit aussitôt et la salua d'une façon protocolaire. Nicholas lui adressa un sourire paresseux.

– Meg vous cherche partout, Harris, poursuivit-elle innocemment comme si elle faisait tous les jours irruption dans la salle de bains d'un homme.

Harris sursauta à nouveau.

– Vraiment, madame ?

– Oh, oui. Et vous savez, c'est une soirée parfaite. Il y a une magnifique pleine lune. Une nuit idéale pour se promener dans les jardins, selon Meg. Pourquoi n'iriez-vous pas la retrouver, Harris ? Je suis sûre que Milord n'aura plus besoin de vous ce soir. N'est-ce pas, Nicholas ?

– Pas du tout. Dépêchez-vous, Harris. Votre promenade vous attend.

– Merci, monsieur.

Harris effectua une révérence impeccable. Mais il fut incapable de tenir son rôle plus longtemps et fila aussi vite qu'une balle.

Nicholas éclata de rire.

– J'ai du mal à le croire. Harris et Meg la teigneuse !

– Meg n'est pas teigneuse, répliqua Reggie, faussement choquée. Et cela fait un moment qu'ils se fréquentent.

– Oh-oh, l'amour fleurit partout dans cette maison. Tu sais pour Ellie et Lord Barrett, j'imagine ? Tu sais toujours tout avant moi.

– Je suis très heureuse pour elle.

– Tu ne penses pas qu'elle est un peu trop vieille pour le mariage ?

– Tu n'es pas sérieux, Nicholas !

Ils furent pris d'un irrésistible fou rire.

– Non.

Elle laissa tremper sa main dans la baignoire et il parut soudain prodigieusement intéressé par ce spectacle. Quand ses doigs passèrent à côté de lui, il les attrapa pour les porter à ses lèvres.

– Je dois te remercier, tu sais, pour m'avoir permis de réaliser mon rêve d'enfance. Sans toi, elle ne m'aurait jamais rien dit. Tu sais à quel point c'est affreux de se poser sans arrêt des questions sur sa mère, n'est-ce pas ? Tu as perdu tes parents à l'âge de deux ans.

Elle lui sourit gentiment.

– J'ai eu quatre oncles merveilleux qui m'ont toujours dit tout ce que je désirais savoir sur mon père et ma mère, y compris leurs défauts, et ils ne m'ont épargné aucun détail. Toi, tu as toujours eu ta mère mais tu ne le savais pas.

– L'une des choses qu'Ellie m'a dites, c'est que les Eden n'aiment qu'une fois. Cela devrait te faire plaisir.

– Pourquoi donc ?

– Cela ne te fait pas plaisir ?

– Oh, je n'en sais rien, dit-elle, évasive. Mais je te le dirai après notre petite discussion. Tu veux que je te frotte le dos ?

Elle lui subtilisa l'éponge sans attendre sa réponse et se glissa derrière lui. Elle souriait mais il ne la voyait pas.

– Tu veux des excuses, c'est ça ? commença-t-il, mal à l'aise.

– Ce serait un bon début.

– Je m'excuse, Regina.

– De quoi ?

– Comment ça, de quoi ? grogna-t-il en se retournant vers elle.

– Si tu pouvais être un peu plus explicite, Nicholas...

– Je regrette d'avoir été aussi désagréable pendant nos fiançailles.

– C'est bien vrai. Tu t'es conduit comme une canaille. Mais cela, je te le pardonne. Continue.

Elle se mit à faire courir l'éponge le long de son dos puis autour de son cou... très lentement.

– Alors, tu continues ?

Il semblait ébahi. Reggie lui lança l'éponge au visage.

– Tu m'as abandonnée. L'aurais-tu oublié ?

Il attrapa l'éponge au vol.

– Bon sang, tu sais très bien pourquoi.

Reggie vint se poster devant lui, les mains sur les hanches, les yeux étincelants.

– Non, je ne sais pas pourquoi. C'est la seule chose que je ne sois jamais arrivée à comprendre.

Il lui répondit d'une voix calme, totalement dépourvue d'intention belliqueuse :

– Je ne pouvais rester auprès de toi sans...

– Sans ?

– Sans te faire l'amour.

Un silence plana, qu'elle rompit enfin :

– Pourquoi ne pouvais-tu pas me faire l'amour ?

– Sacré nom ! J'étais certain que tu me mépriserais en apprenant la vérité sur mon compte. Je n'aurais pas pu le supporter. J'étais idiot, incroyablement idiot, je l'admets. Mais j'étais sûr que Miriam ne se tairait pas. J'avais raison sur ce point, d'ailleurs. Mais j'avais tort à propos de ta réaction.

– Très bien. Cette explication me convient. Tu peux continuer.

Il se tritura la cervelle.

– Je t'ai dit la vérité à propos de Selena. C'est elle qui a manigancé cette scène dans la véranda.

– Je te crois.

Apparemment, ce n'était pas ce qu'elle désirait entendre.

– Oh ! Ton ami George... Bon, j'ai sans doute été un peu impoli avec lui mais ce n'était pas la première fois qu'il te tournait autour et je n'aime pas ça.

– Etais-tu jaloux, Nicholas ?

Son humour refaisait surface.

– Je... Bon sang, oui, je l'étais !

– C'est noté. Tu peux continuer, dit-elle en le scrutant intensément.

– Qu'ai-je fait d'autre ? jeta-t-il, exaspéré.

Les yeux cobalt de la jeune femme lancèrent des étincelles.

– Tu oublies qu'on a dû te ramener de force.

– Non ! s'exclama-t-il. Là, tu te trompes ! J'allais revenir. Mon navire était prêt à mettre les voiles. J'avais déjà décidé de tout te dire, de t'expliquer les raisons de ma conduite. Ton maudit oncle et ses sbires sont arrivés la veille de mon départ.

– Oh, mon pauvre ! Et j'imagine qu'ensuite tu étais trop furieux de l'intervention d'oncle James pour me parler sincèrement ?

Nicholas fronça les sourcils.

– Cet oncle-là ne me plaît pas. Pas du tout.

– Oh, tu te feras à lui.

– Je préférerais que tu te fasses à moi.

– Cela peut se concevoir.

– Alors, tu me comprends ? Tu comprends que mon destin est de n'aimer qu'une fois ? demanda-t-il gravement.

Mais elle n'était pas encore prête.

– Si tu pouvais être un petit peu plus précis...

– Ne t'ai-je pas dit tout ce que tu voulais entendre ?

– Non.

– Alors viens ici.

– Nicholas, s'indigna-t-elle, je suis tout habillée !

Il l'avait saisie par la main. D'un petit geste, il la fit basculer dans la baignoire, sur lui.

– Je t'aime, je t'aime, je t'aime et je t'aime. Cela te suffit ou tu en veux encore ?

– Ça suffira... pour ce soir.

Reggie passa les bras autour de son cou. Leurs lèvres se nouèrent.

Après un long et délicieux baiser, il demanda :

– Eh bien ?

– Eh bien quoi ? plaisanta-t-elle. (Il lui flanqua une claque sur les fesses.) Oh ! Eh bien, j'imagine que je t'aime aussi.

– Tu *imagines ?*

– Eh bien, j'y suis forcée, n'est-ce pas ? Non, non ! hurla-t-elle tandis qu'il commençait à la chatouiller. D'accord. Je t'aime, espèce de brute. J'avais jeté mon dévolu sur toi, non ? Et je n'ai jamais renoncé à obtenir ton amour. Maintenant, tu dois être heureux d'avoir épousé une fille aussi têtue ?

Il la gratifia d'un baiser sonore.

– Têtue et merveilleuse. Tu as raison, chérie, ça ne se fait pas de prendre un bain tout habillée. Si on y remédiait ?

– Je me demandais quand tu allais te décider.

43

Après avoir salué le dernier invité, Nicholas et Regina restèrent sur le porche à s'embrasser.

– La paix, enfin ! fit-il avec un long soupir.

– Euh... pas tout à fait, répondit-elle, hésitante, en enroulant un doigt autour d'une mèche de cheveux. Je... j'ai envoyé un message à ma famille hier soir pour les inviter pour la journée. Ne te mets pas en colère, Nicholas. George m'a dit qu'il a vu Tony la semaine dernière et qu'il n'allait pas très bien. Je sais que c'est à cause de nous.

– Tu n'aurais pas pu te contenter de leur écrire ?

– Une lettre, ce n'est pas comme de nous voir vraiment heureux. Ils s'inquiètent pour moi, Nicholas, et je veux qu'ils sachent que tout va enfin pour le mieux.

– Bon, si ce n'est qu'une journée, je crois que je le supporterai.

Il soupira à nouveau.

– Tu n'es pas en colère ?

– Je n'ose pas me mettre en colère contre toi, ma chérie.

Il avait dit cela avec un tel sérieux qu'elle resta perplexe.

– Tu te mets aussitôt en colère contre moi, expliqua-t-il. Et tu es pire que moi.

– Démon !

Il lui sourit. Puis, d'une petite tape sur le postérieur, il la poussa gentiment vers l'escalier.

– Maintenant, disparais une minute. Tu viens de me rappeler que j'ai moi aussi un problème de famille à régler.

Il trouva Miriam au moment où elle allait partir pour sa promenade à cheval.

– Un mot, madame. Dans la bibliothèque, s'il vous plaît.

Miriam renonça à discuter. Le ton de Nicholas n'admettait aucune réplique.

– J'espère que cela ne prendra pas longtemps, déclara-t-elle sèchement tandis qu'il refermait la porte derrière eux.

– Je ne le pense pas. Asseyez-vous, Miriam.

Elle l'étudia, surprise.

– Vous m'appelez par mon prénom, à présent ?

Nicholas remarqua la froideur dans son regard. Cette froideur qui avait toujours été présente dès qu'ils étaient seuls. Cette femme le haïssait vraiment. Rien n'y changerait jamais.

– Imaginez une nuit, commença-t-il, où une sœur prend la place de l'autre. (Elle blêmit.) Vous n'avez pas eu l'occasion de parler à Ellie, ce matin ?

– Elle vous a dit ?

Il ne put résister à la tentation.

– Eh bien, vous m'aviez conseillé de demander à chaque femme, n'est-ce pas ?

– Vous n'avez pas osé !

– Non, Miriam, je ne l'ai pas fait. Vous avez ouvert la blessure, ma femme s'est chargée de la soigner. Elle a convaincu Ellie de se confesser. Je sais tout, enfin. Et je veux vous dire que je suis désolé pour ce que vous avez subi, Miriam, maintenant que je comprends.

– Je me fiche de votre pitié ! s'écria-t-elle, stupéfaite.

Elle lui facilitait les choses. Il n'éprouvait plus aucune gêne à lui faire part de sa décision.

– Comme vous voulez, répliqua-t-il avec raideur. J'ai tenu à vous voir pour vous informer que, vu les circonstances, votre présence à Silverley n'est plus souhaitable. Trouvez-vous un cottage quelque part, loin d'ici. Je vous l'achèterai. Mon père vous a laissé un modeste revenu. Je le doublerai. Je ne vous dois guère plus que cela.

– Vous m'achetez, Nicholas ? ricana-t-elle.

– Non, Miriam, fit-il avec lassitude. Si vous tenez à informer le monde que vous n'êtes pas ma mère, cela m'est complètement égal. Ma femme le sait et s'en moque. C'est tout ce qui compte à mes yeux.

– Alors, c'est ce que vous voulez ?

– Oui.

– Espèce de bâtard ! fit-elle avec fureur. Vous croyez avoir gagné, hein ? Mais attendez quelques années et votre précieuse épouse vous haïra... comme j'ai haï votre père.

– Elle n'est pas comme vous, Miriam.

– J'ai toujours détesté vivre à Silverley, reprit-elle, féroce. Je ne restais que pour vous en éloigner.

– Je le sais, Miriam.

– Eh bien, je vais partir. Et soyez sûr que ce ne sera pas un cottage, mais un manoir !

Elle quitta la pièce. Il prit une profonde inspiration, satisfait. Enfin, cette maison ne connaîtrait plus l'amertume de Miria !

Quelques heures plus tard, une voiture s'éloignait dans l'allée, emmenant à son bord la tante de Nicholas. Les trois personnes sur le porche laissèrent échapper un soupir de soulagement. Eleanor rentra aussitôt mais Nicholas s'attarda auprès de sa femme, la serrant contre lui.

Ils restèrent ainsi un peu trop longtemps, car bientôt, deux voitures et un cabriolet apparurent au bout de l'allée. Nicholas se raidit puis se força à se détendre. Bon sang, si Regina les aimait, ils ne devaient pas être aussi mauvais.

– L'invasion recommence, marmonna-t-il.

– Je vous interdis de fuir, Nicholas Eden.

Elle se blottit contre lui, terriblement excitée. Jason, Derek et la moitié de la famille d'Edward jaillirent de la première voiture. Jason fut le premier à étreindre Nicholas.

– Heureux de voir que tu as retrouvé la raison, mon garçon. James nous a dit combien tu étais impatient de voir ton fils. J'espère qu'à l'avenir, tes affaires ne te tiendront pas trop éloigné de chez toi.

– Non, je resterai ici, répondit Nicholas avec cordialité tout en maudissant silencieusement James et ses mensonges.

Derek fut le suivant et fit de son mieux pour l'étouffer.

– Il était temps que tu nous invites, mon vieux.

– Content de te voir, Derek.

Les cousins et cousines suivirent, puis Edward et sa femme, tous papotant gaiement. Enfin Nicholas aperçut James et Anthony debout devant les marches qui le fusillaient du regard. Il rentra en maugréant quelque chose à propos des visiteurs indésirables. Reggie l'entendit et se tourna vers ses plus jeunes oncles, irritée.

– Faites attention, tous les deux ! Je l'aime et il m'aime. Si vous êtes incapables d'être amis avec lui, je... je ne vous parle plus !

Elle suivit son mari dans la maison, les abandonnant dehors.

James se tourna vers son frère en souriant.

– Elle a l'air sérieuse.

– Elle est sérieuse, répliqua Anthony en le gratifiant d'une claque dans le dos. Allons-y. Voyons si on peut faire quelque chose de ce vaurien.

Quelques minutes plus tard, ils avaient cerné Nicholas dans un coin, l'entraînant à l'écart des autres en le prenant chacun par un bras. Nicholas était exaspéré. Ces Malory allaient donc toujours se liguer contre lui ?

– Oui ?

– Regan veut la paix, mon garçon, commença James. On est d'accord si tu l'es.

– Sapristi ! c'est Reggie, pas Regan ! gronda Anthony à l'intention de son frère. Quand comprendras-tu...

– Qu'y a-t-il avec Regina ? le coupa Nicholas.

Les deux hommes se regardèrent et éclatèrent de rire.

– Rien du tout, mon vieux, concéda Anthony. Vous pouvez l'appeler exactement comme ça vous chante. C'est juste que cette tête de mule ne peut pas s'empêcher d'inventer des nouveaux noms.

– Ce n'est pas moi qui l'appelle « mon chou » sans arrêt, rétorqua James.

– C'est un surnom affectueux.

– Et Regan, ce n'est pas affectueux, peut-être ?

Nicholas les laissa à leur dispute et rejoignit sa femme sur un sofa.

– Tu sais ma chérie, quand je t'ai épousée, j'ignorais que j'épousais aussi les frères Malory.

– Tu ne m'en veux pas de les avoir invités ? Je souhaitais simplement qu'ils partagent notre bonheur.

– Je sais. Mais il ne faudrait pas qu'ils s'y habituent. Surtout ces deux-là.

Il pointa le menton vers James et Anthony qui continuaient à se chamailler.

Reggie eut un sourire espiègle.

– Oh, ne t'en fais pas. Ils adorent se disputer mais ils ne pensent pas la moitié de ce qu'ils disent. Et puis, ils ne seront pas souvent ici. Tiens, oncle James reprend la mer la semaine prochaine. On ne devrait pas le voir plus d'une fois par an.

– Et Anthony ?

– Eh bien, oncle Tony passera de temps en temps mais tu apprendras à l'apprécier. Comment faire autrement alors que vous avez tant en commun ? Tu sais, la raison pour laquelle je suis tombée amoureuse de toi si vite, c'est que tu ressemblais beaucoup à Tony.

Nicholas parut horrifié.

– Dieu m'en préserve, grogna-t-il.

– Ne boude pas, plaisanta-t-elle en nouant sa main à la sienne. Ce n'est pas la seule raison pour laquelle je t'aime, tu sais. Tu veux que je t'en donne d'autres ?

– Si on s'échappait un moment ?

– Cela peut s'arranger.

– Alors, montons dans la chambre.

– Nicholas ! C'est le milieu de l'après-midi, souffla-t-elle, choquée.

– Je ne peux pas attendre plus longtemps, ma chérie, lui chuchota-t-il à l'oreille.

James les aperçut tandis qu'ils couraient dans l'escalier, main dans la main, Reggie luttant visiblement pour retenir son fou rire.

– Non, mais tu as vu ça ? fit-il, coupant Anthony au milieu de sa diatribe. Je t'avais bien dit que c'était l'homme qu'il lui fallait.

– Tu n'as jamais dit ça, rétorqua vertement Anthony. Mais *moi*, bien sûr, je le savais depuis le début.

Aventures et Passions

Quand les passions se déchaînent, quand elles entraînent des êtres prêts à tout pour les vivre dans un tourbillon d'aventures tumultueuses, elles sont dans la collection Aventures et Passions.

De l'Angleterre moyenâgeuse à la Louisiane déchirée par la guerre de Sécession, des îles Caraïbes aux rivages de l'Inde, Johanna Lindsey, Julie Garwood, Jennifer Blake, Kathleen Woodiwiss et tous les meilleurs auteurs du genre dressent pour vous des décors historiques somptueux. Suivez les aventures de leurs héroïnes rebelles que seul l'amour parvient à dompter.

BLAKE JENNIFER

Sérénade en Louisiane
3169/5
Les chaînes de l'amour
3240/5
Dans la luxuriance d'une plantation de Louisiane, l'impétueuse Anya s'éprend d'un séduisant aristocrate français. Mais c'est lui qui a assassiné le frère de la jeune femme ...

Un éden sauvage
3347/6
Le vengeur créole
3415/5
Le temps d'une valse
3758/6
Bien qu'ayant fait un mariage de convenance, Amélie n'aura pourtant de cesse qu'il soit consommé. Mais au matin, elle s'apercevra qu'elle a pris, sans le savoir, un amant !

BRANDEWYNE REBECCA

La lande sauvage
3018/5
Duel sur la lande
3055/4
Pour l'amour d'un comanchero
3159/7
La passion du conquistador
3285/5
Pour échapper aux intrigues perverses de Don Rodolfo, Aurora est prête à s'enfuir au bout du monde !

Les amants hors la loi
3397/6
Un mari en héritage
3543/5
La prisonnière du drakkar
3907/5 Inédit (Avril 95)

BUSBEE SHIRLEY

Le quiproquo de minuit
2930/5
Ayant malencontreusement compromis Melissa, Dominic est contraint de l'épouser. Mais au cours de ce bel été, la Louisiane se mobilise contre les Anglais. Et entre la trop belle Melissa et son turbulent époux, c'est aussi bientôt la guerre car aucun ne veut être dupe de l'autre.

Au-delà du pardon
2957/5
L'appel de la passion
3056/8
Sous le sceau de l'amour
3287/7

CAMDEN PATRICIA

Sous la coupe du Sultan
3704/6 Inédit
Le fils du diable
3868/5 Inédit (Février 95)

COPELAND LORI

Hannah l'indomptable
3260/2
Les traîtrises de l'amour
3414/5

DAILEY JANET

Le solitaire
1580/4

DEVERAUX JUDE

La saga des Montgomery
- Les yeux de velours
2927/5
- Un teint de velours
3003/5
- Une mélodie de velours
3049/4
- Un ange de velours
3127/4

Les dames de Virginie
- Kidnappée par erreur
3180/5
- La fiancée délaissée
3181/4
- Mariage forcé
3182/5
- Le pays enchanté
3372/5

Duel de femmes
3447/4
L'homme au masque
3523/4
Les entraves de l'amour
3643/5
La duchesse infidèle
3683/6 Inédit
Un mari par procuration
3794/4
Directrice d'une agence matrimoniale, Carrie tombe amoureuse d'un de ses clients en voyant sa photo...

La tentatrice
3889/5 Inédit (Mars 95)
A vingt-huit ans, Christiana n'est toujours pas mariée. De plus, elle est résolue à faire carrière comme reporter. Est-ce là un métier pour une jeune fille de bonne famille ? Furieux, son père engage deux hommes pour la ramener à la maison. Tynan et Asher parviendront-ils à remplir leur mission ?

Aventures et Passions

FEATHER Jane

La favorite du sérail
3448/6
A Grenade, à la fin du XVe siècle, la belle Sarita succombe au charme d'Abdul, le seigneur maure qui règne sur l'Andalousie. Cependant dans le sérail de l'Alhambra, de sombres complots se trament contre la favorite.

La nuit de Saint-Petersbourg
3560/6

La favorite afghane
3664/7 Inédit
Muté par ses supérieurs en Afghanistan, le capitaine Kit Ralston de l'armée britannique ne s'attendait certes pas au charmant spectacle d'une ravissante jeune femme indigène, se baignant nue dans une rivière ! Mais la belle Ayesha est la favorite du cruel Akbar Khan...

FINCH Carol

Aveuglée par l'amour
3777/6

Séduction au clair de lune
3946/6 Inédit (Juin 95)

GARLOCK Dorothy

Le métis apache
3594/5

GARWOOD Julie

Sur ordre du roi
3019/5

Un ange diabolique
3092/5

Un cadeau empoisonné
3219/5
Fiancée à quatre ans, embarquée de force dans des aventures rocambolesques, Sara est une héroïne d'une drôlerie irrésistible.

Désir rebelle
3286/5

La fiancée offerte
3346/5

Le secret de Judith
3467/5

Un mari féroce
3662/6 Inédit

Le voile et la vertu
3796/5

HAGAN Patricia

Violences et passions
3201/6

Folies et passions
3272/5

Gloires et passions
3326/6

Fureurs et passions
3398/5

Splendeurs et passions
3541/5

Rêves et passions
3682/6 Inédit

Honneur et passions
3756/5

Triomphe et passions
3847/5

HAZARD Barbara

L'aventurier des Bermudes
3703/7 Inédit

Coup monté
3811/6

HENLEY Virginia

La colombe et le faucon
3259/5

La fleur et le faucon
3416/6

La rose et le corbeau
3522/5

Les amants secrets
3641/7 Inédit

Mariage à l'essai
3866/7 Inédit (Février 95)
En Ecosse, à la fin du XVIe siècle, Ramsey Douglas doit épouser la jeune Elisabeth Kennedy. Mais sa mère substitue à la délicieuse promise l'insupportable Valentina, sa sœur aînée...

JOHANSEN Iris

Prince de cœur
3757/7
Dans l'Inde de l'époque coloniale, l'intrépide Jane Barnaby dirige la construction d'une voie ferrée et connaît une passion tumultueuse auprès du beau Ruel, un aventurier écossais.

JOHNSON Susan

Proposition malhonnête
3542/5

Le séducteur sauvage
3642/6 Inédit

Les enchères de la passion
3705/7 Inédit

JOYCE Brenda

Des feux sombres
3371/5

Le fier conquérant
3222/5

Candice la rebelle
3684/7 Inédit

KLEYPAS Lisa

Par pure provocation
3945/5 Inédit (Juin 95)
Arrogante et provocatrice, Lily Lawson semble prendre plaisir à choquer la bonne société londonienne. Au point que sa famille, outrée par ses extravagances, ne la reçoit plus. Lily va même jusqu'à tenter de séduire le fiancé de sa sœur, le hautain Lord Alex Raifort. Mais le secret de sa conduite scandaleuse ne réside-t-il pas dans une terrible blessure ?

LANDIS Jill Marie

L'héritage de Jade
3449/6

3888

Photocomposition Assistance 44-Bouguenais
Achevé d'imprimer en Europe (France)
par Brodard et Taupin à La Flèche (Sarthe)
le 13 février 1995.1143 L-5
Dépôt légal février 1995. ISBN 2-277-23888-0
Éditions J'ai lu
27, rue Cassette, 75006 Paris
Diffusion France et étranger : Flammarion